GRETE WEIL
LEB ICH DENN,
WENN ANDERE LEBEN

Nagel & Kimche

2. Auflage 1998

© 1998 Verlag Nagel & Kimche AG, Zürich/Frauenfeld
Alle Rechte der Verbreitung, auch durch Film, Funk und
Fernsehen, fotomechanische Wiedergabe, Tonträger,
elektronische Datenträger und auszugsweisen Nachdruck,
sind vorbehalten.
Buchtitel: Frei nach J. W. Goethe, «Buch des Unmuts»
Umschlag: Layout Liaison Corinne Oetiker & Ronny Stocker
unter Verwendung von Fotos aus dem Privatbesitz der Autorin
sowie eines Fotos von Herlinde Koelbl (Umschlagrückseite)
ISBN 3-312-00240-0

Aktuelle Informationen
Dokumente über Autorinnen und Autoren
Materialien zu Büchern

Besuchen Sie uns auf:
http://www.klik.ch/firmen/naki.html

ERSTER TEIL

EIN WORT VORAB

In einem Fernsehinterview wurde Gräfin Dönhoff gefragt, warum sie sich so lange gesträubt habe, über ihre Kindheit und Jugend zu schreiben und warum sie es dann doch noch getan habe. Sie erklärte, ihr Verleger habe sie dazu gedrängt und schließlich mit der Bemerkung überzeugt: Die Menschen von heute wüssten kaum mehr, wie es damals gewesen sei, und die wenigen, die noch lebten und es wüssten, könnten nicht schreiben.

Diese Worte waren für mich eine Herausforderung. Ich bin ein paar Jahre älter als die Gräfin Dönhoff, weiß also, wie es war, und schreiben kann ich auch. Zwar war meine Mutter keine Palastdame der Kaiserin, und ich bin auch nicht in einem Schloss aufgewachsen, sondern in einer großbürgerlichen Wohnung in München am Isarufer, wobei man sich unter einer großbürgerlichen Wohnung sehr große, ineinander übergehende Zimmer vorzustellen hat, betreut von einem Hausmädchen, wie die Küche von einer Köchin und das Kind von einem Kinderfräulein. Diese Wohnung und unser Landhaus am Tegernsee waren sicher typischer für ihre Zeit als Schloss Friedrichstein und den Menschen von heute viel näher. So nahm ich die Herausforderung an, setzte mich hin und begann zu schreiben.

Nicht ohne Vorbehalte. Ich bin mir der Gefahren einer Autobiographie bewusst. Da ist einmal die Eitelkeit, die jeder, der glaubt, etwas zu sagen zu haben, mit sich herumträgt – und die bei einer Autobiographie nach außen gekehrt wird. Da ist überdies die Gefahr, die Prominenten, die man kannte, denen man begegnete, so in den Vordergrund zu stellen, dass schließlich der Eindruck vorherrscht, niemals hätten Nichtprominente im eigenen Leben eine Rolle gespielt. Es entsteht eine Aneinanderreihung von Namen, die wirkt, als würde dem Leser der *Who is Who* zur Lektüre vorgesetzt.

Ein anderes Gefahrenmoment: Wie hält es die Autorin mit der Wahrheit? Ich bin eine äußerst unwillige und deshalb wohl auch schlechte Lügnerin. Was ich sage, soll stimmen. Doch inwieweit trügt die Erinnerung? Und so sollte man dem Lesenden wie sich selbst zugestehen, dass zu einer Autobiographie auch Dichtung gehört.

DIE FAMILIEN DER ELTERN

Vaters früh verstorbener Vater war Tuchhändler in München. Sein Großvater – also mein Urgroßvater – Tuchhändler in Fürth und einer der ersten Juden, der, mit einem Schutzbrief ausgestattet, sich in dieser Stadt niederlassen durfte. So kurz ist das erst her. Alle Vorfahren vor diesen beiden waren Rabbiner in Franken, vorwiegend in Bayersdorf und Umgebung, wo auch der kleine Flecken Dispek liegt, von dem wir unseren Namen Dispeker herleiten, der genauso jüdisch ist wie Breslauer, Frankfurter usw., nur dass er anders klingt, weil niemand das Dorf mit dem ungewöhnlichen Namen Dispek kennt.

Es hat im 18. Jahrhundert einen offenbar recht bedeutenden Rabbi David Dispeker gegeben, von dem ein Buch mit dem Titel *Der Garten Davids* im Britischen Museum existiert, Kommentare zu Bibel und Talmud. Mein Vater hat eine Kopie des dicken Wälzers auf einer Auktion ersteigert, er ist hebräisch geschrieben, keiner von uns konnte ihn lesen. Diesen Rabbi David Dispeker hatte es nach Metz verschlagen (es gibt folglich auch in Frankreich Dispekers oder hat sie doch gegeben), nachdem er in Franken sein Geld wahllos unter arme Leute verteilt und zu viele Schulden gemacht hatte.

Mein Vater und mein Bruder haben einmal versucht, einen Stammbaum aufzuzeichnen. Sie kamen bis zum Dreißigjährigen Krieg.

Die Vorfahren meiner Mutter waren Händler aus dem Ries, vielleicht, wie viele Juden damals, Hausierer, ich weiß es nicht genau, ebenso wenig weiß ich, woher mein Großvater sein Geld hatte. Er arbeitete nicht, war freilich schon ein alter Mann, als ich auf die Welt kam. Im Adressbuch stand als seine Berufsbezeichnung: Privatier.

DER VATER

Einmal wurde ich von mir fremden Leuten auf der Straße gefragt, ob ich sein Kind sei, so sehr ähnelte ich meinem Vater.

Die Ähnlichkeit war nicht nur äußerlich, wenn ich es auch nie zu seiner großen Ruhe und Weltzufriedenheit gebracht habe. Auch Negatives habe ich von ihm geerbt: die runden Schultern und das schlechte Gehör.

Mitten im Herzen von München, in der Prannerstraße (heute direkt hinter dem Hotel *Bayerischer Hof*), wurde er geboren und hat seinen Vater, der als eines der letzten Opfer der allerletzten Choleraepidemie in München starb, als Neunjähriger verloren. Die Mutter zog mit ihm und seinen beiden jüngeren Schwestern, Melitta und Marie, zurück in ihre Heimatstadt Leipzig, wo er während seiner ganzen Gymnasialzeit blieb. Wenn er sehr müde war, konnte man einen ganz leichten sächsischen Tonfall bei ihm hören. Ich glaube nicht, dass er nur einen Augenblick daran gedacht hat, auch Händler zu werden. Dass er studieren wollte, stand von allem Anfang an bei ihm fest.

Erst sollte es Chemie sein, die ihn rasch enttäuschte (warum, weiß ich nicht), und er sattelte bald auf Jura um, dazu musste er das Graecum nachholen, in der Schule hatte er als einzige Fremdsprache Latein gelernt. Wozu ein deutscher Jurist das Griechische brauchte, wissen die Götter. Doch wahrscheinlich gehörte es damals zum unverzichtbaren Wissen eines Akademikers.

Er studierte in München, wohin auch die Mutter mit den beiden Schwestern wieder zog. Er liebte die Stadt und trat nach Studium und Referendarzeit in die Anwaltskanzlei des sehr angesehenen Justizrats Aub ein. Die Ferien verbrachte er meist am Tegernsee. Oder er fuhr mit einigen Freunden ins Engadin, wo sie die mitgebrachten Fahrräder bestiegen, um dem Inn entlang bis Wasserburg zu fahren. Damit es nicht ganz so schnell ging (Rücktrittbremsen gab es noch keine), banden sie junge Bäumchen an ihren Rädern fest.

Er war leidenschaftlich gern Anwalt, beschäftigte sich fast ausschließlich mit Zivilsachen. Auf dem Totenbett sagte er in Fieberphantasien: «Herr Richter, Sie können mir glauben, diese Frau ist unschuldig.»

Nach Aubs Tod übernahm er die Kanzlei und brachte es bald zu einer großen Klientel. Seine Schriftsätze schrieb er in seiner kleinen fadenähnlichen Schrift. Ich habe sie nie gut lesen können, und seine armen Sekretärinnen mussten sie abtippen.

Auf einem Fest bei Aubs lernte er ein sehr junges, blondes Mädchen (fast noch ein Kind), Bella Goldschmidt, kennen, die ihm über alle Maßen gut gefiel. Auch sie war mit ihren Eltern und ihrer jüngeren

13

Schwester Lucie im Sommer meistens am Tegernsee. Man machte gemeinsame Ausflüge, so mit hundert hart gekochten Eiern im Rucksack auf die Neureuth, die mehr ein sich aus der Ebene erhebender Hügel als ein Berg ist. So lernte er Bella besser kennen und immer mehr lieben. Als sie neunzehn war und er neunundzwanzig, hielt er bei ihren Eltern um ihre Hand an. Sie war längst verliebt in ihn. In der Verlobungszeit durften sie sich nach damaliger Sitte nie allein sehen. Meine Mutter berichtete, dass sie nicht nur unschuldig, sondern auch völlig ahnungslos über das, was jetzt mit ihr geschehen würde, war, als sie nach vier Monaten Brautzeit heirateten.

Abgesehen von einigen schrecklichen Ereignissen, die es in jedem Leben gibt (das Schlimmste bestimmt der Tod meiner siebenjährigen Schwester Dorle, die nach einer offensichtlich sinnlosen und verpatzten Blinddarmoperation starb, und erst spät in seinem Leben das Hereinbrechen der Hitlerzeit), hielt das Glück an, bis Vater 1937 als Zweiundsiebzigjähriger in einem Münchner Krankenhaus in Mutters Armen starb. Dass ein Assistenzarzt, den die Nachtschwester wegen Vaters urämiebedingter Unruhe holen wollte, damit er ihm eine Beruhigungsspritze gebe, sich weigerte, einem Juden zu helfen, hat er (er war ein Glückskind geblieben) nicht mehr erfahren.

Mich, das Ersatzkind für die verstorbene Tochter, ein Jahr nach Dorles Tod am Tegernsee geboren, liebte er mit der ganzen Zärtlichkeit seines Herzens, so sehr, dass er mir Kraft für mein langes, wahrhaft nicht immer einfaches Leben gab. Er wollte, solange ich ein Kind war, immer alles mit mir allein unternehmen. So nahm er mich, die Fünfjährige, mit auf meinen ersten Berg, den Wallberg über dem Tegernsee. Erst wollte er mit mir nur bis zum Haus, wo wir einkehrten, dann zum etwas höher gelegenen Kircherl steigen, doch ich gab keine Ruhe, bis wir oben unter dem Gipfelkreuz standen. So hatte er, ohne es zu wissen, aber es vielleicht doch im Geheimen wünschend, meine Leidenschaft für die Berge geweckt.

Später ging er mit mir allein in die Oper, in den *Freischütz*. Wir saßen in der Mitte der ersten Reihe, direkt hinter dem Dirigenten, und ich zuckte bei jedem Fortissimo zusammen und fürchtete mich vor der lauten Musik.

Ein wenig enttäuschte es Vater, dass ich bald, nach immer häufigeren Opernbesuchen, Verdi und Mozart lieber mochte als den von ihm bewunderten Wagner.

Trotzdem hatte ich es gern, wenn er mir übers Haar strich und mich – wie Wotan Brünhilde – sein kühnes, herrliches Kind nannte. Übrigens führte er den vor dem Ersten Weltkrieg begonnenen Prozess für Isolde Beidler gegen Cosima und Siegfried Wagner, die der noch während der Ehe Cosimas mit von Bülow Geborenen aus Geldgründen absprechen wollten, Wagners Tochter zu sein.

Vater legte als eines der Beweisstücke – der deutlichste

Beweis war wohl die Ähnlichkeit zwischen Wagner und Isolde – ein Gedicht vor, das Wagner für Isolde geschrieben hatte:

Vor dreizehn Jahren wurdest du geboren / da spitzte alle Welt die Ohren. / Man wollte Tristan und Isolde / doch was ich einzig wünscht und wollte, / das war ein Töchterlein Isolde. So mag sie tausend Jahre leben / und Tristan und Isolde auch daneben.

Trotzdem verlor Vater den Prozess, weil nicht nachzuweisen war, dass Cosima und Bülow damals keinen ehelichen Verkehr mehr pflegten. Und die Hoffnung, nach dem Ersten Weltkrieg den Prozess wieder aufleben zu lassen, war schon deshalb nichtig, weil die lungenkranke Isolde um diese Zeit starb.

Im außergewöhnlich strengen Winter 1916, in dem wir viele Wochen lang Kälteferien hatten, die ich dazu benutzte, recht gut Schlittschuhlaufen zu lernen, fuhr Vater mit mir per Bahn an den Tegernsee. In Gmund stiegen wir aus, gingen hinüber nach Kaltenbrunn, um eine warme Suppe zu essen, liefen hinunter zum See und schnallten unsere Schlittschuhe an. Die große weiße, völlig leere Fläche war schön und unheimlich. An einigen Stellen hatte man das Eis aufgehackt, damit es nicht bersten konnte. Wir hörten das Wasser gegen das Eis donnern. Ab und zu flogen, wilde Schreie ausstoßend, einige Möwen über uns hinweg, das waren die einzigen Lebewesen. Ein bisschen fürchtete ich mich, aber als ich Vaters Hand nahm, war die Angst verschwunden, ich fühlte mich beschützt und wusste, dass mir nichts geschehen würde, solange er so nahe bei mir war.

Wir fuhren bis Egern, wo wir die Schlittschuhe abschnallten.

Mutter schimpfte später mit Vater (was sie so gut wie nie tat) ob seines Leichtsinns, aber es war ja alles gut gegangen.

Als ich noch recht klein war, kam ich an jedem Sonntagmorgen in sein Bett, in dem er in einem langen weißen Nachthemd mit bunten Borten lag.

Da las er mir, der Sechsjährigen, *Hermann und Dorothea* vor, was mich langweilte, dann *Maria Stuart,* die mich so begeisterte, dass ich nach kurzer Zeit nicht nur die Rolle der Maria, sondern auch alle anderen Rollen des Stücks auswendig hersagen konnte.

Später, nach dem Ersten Weltkrieg, bei dessen Ende ich zwölf war, lasen wir, die ganze Familie, mit verteilten Rollen den *Faust.* Vater war Faust, mein aus dem Krieg heimgekehrter Bruder Mephisto, Mutter die Marthe und ich das Gretchen.

Wenn ich als Studentin, meist zu meinem Geburtstag im Juli, nach München zurückkam, holte Vater mich allein vom Zug ab und überreichte mir eine oder ein paar besonders schöne Rosen.

Soweit ich mich erinnern kann, war er nur einziges Mal mir so böse, dass er ein paar Tage lang nicht mit mir sprach. Das war, als ich mein langes und dichtes Haar hatte abschneiden lassen. Der ‹Bubikopf› war erst seit kurzem in Mode, die Friseure konnten noch nicht gut schneiden, und mein kräftiges Haar stand in hässlichen Büscheln vom Kopf ab.

Vater war nahe daran, den Friseur zu verklagen, weil ich noch minderjährig war. Er tat es nicht, weil er nie etwas für sich einklagte und es als eine der Hauptaufgaben eines Anwalts ansah, seinen Klienten unnötige Klagen auszureden.

Auch nur ein einziges Mal hat er mir etwas, was ich gern tun wollte, verboten. Gustav Wyneken, der Leiter der Freien Schulgemeinde Wickersdorf und einer der wichtigsten Männer der gerade aufkommenden Reformbewegung der Landschulheime, in denen Buben und Mädchen gemeinsam erzogen wurden, hielt in München einen Vortrag. Ich wollte hingehen, doch Vater verbot es mir, sicher aus berechtigter Angst, der Mann würde mich so sehr überzeugen, dass ich (ich werde fünfzehn gewesen sein) sofort nach Wickersdorf wollte.

Als ich neunzehn war, wurde ich nach London geschickt, um Englisch zu lernen. Vater besuchte mich dort, doch war er so abhängig von Mutters Fürsorge, dass er allein kaum zurechtkam. Es war Mutter, die ihm sagen musste, was er anziehen sollte und welche Speisen sein empfindlicher Magen nicht vertragen würde. Reiste er ohne sie, kehrte er meist mit einem verdorbenen Magen nach Hause zurück.

In London hatte ich Karten für eine Festvorstellung

des *Barbier von Sevilla* besorgt. Bruno Walter dirigierte, Schaljapin sang. Als ich Vater in seinem Hotel abholte, trug er zur Smokingjacke eine dunkelblaue Hose, so sehr war er daran gewöhnt, dass Mutter ihm seine Kleidung zurechtlegte. Es machte uns nichts aus, wir gingen, so wie er war, nach Covent Garden.

Irgendwann bekam Vater einen Ruf, als Anwalt ans Reichsgericht nach Leipzig zu gehen. Ich glaube, er hätte ihn gern angenommen, schon wegen der viel größeren beruflichen Möglichkeiten. Aber Mutter, die Münchnerin, wollte sich nicht von ihrer Stadt und noch viel weniger von ihrem Landhaus in Egern trennen. Und er, der der immer noch Heißgeliebten nichts abschlagen konnte, sagte Leipzig ab, und ich hatte das Glück, in meiner wahren Heimat, der oberbayerischen Landschaft, aufzuwachsen.
Vater war viele Jahre lang zweiter Vorsitzender der Münchner Anwaltskammer. Seine Kollegen bedrängten ihn oft, den ersten Vorsitz zu übernehmen, doch fand er, lange vor Hitler, dass es nicht gut sei, wenn ein Jude einen so einflussreichen Posten innehabe.

Er war im Vorstand der jüdischen Gemeinde in München, obwohl er bestimmt in seinem ganzen Leben keine Synagoge betreten hat. Er erzählte, dass er schon im Gymnasium, mangels jüdischer Mitschüler, am christlichen Religionsunterricht teilgenommen hatte. In der Münchner Gemeinde fungierte er als juristischer Berater. Wenn ich, was ich recht oft tat, sagte, ich wolle aus der jüdischen Gemeinde austreten, weil mich nichts, aber auch gar nichts mit dieser Religion verbinde und ich es für verlogen halte, so zu tun, als ob da doch etwas wäre, schaute er mich traurig an und meinte, es wäre feige, aus seinem Jüdischsein davonlaufen zu wollen und man müsse aus vielen Gründen die Tradition aufrechterhalten.

Ich hatte nie aus dem Jüdischsein davonlaufen wollen und hätte eine Taufe weit verlogener gefunden, auch wenn mir vieles am Katholizismus sehr gut gefiel. So blieb ich in der jüdischen Gemeinde. Nach dem Krieg trat ich in die neue gegründete Gemeinde nicht wieder ein, weil ich es für ausreichend fand, dass ich mich vor aller Welt in meinen Büchern als Jüdin bekannte.

DIE MUTTER

Klein, zierlich, blond und blauäugig, immer in einem Kostüm mit weißer, am Hals mit einer Krawatte, einer Fliege geschlossener Bluse, schnell, gescheit, witzig, mutig (was zum Teil auf Mangel an Phantasie beruhte), von allen Menschen ihrer Bekanntschaft (und das waren viele) Tante Bella genannt: Tante Bella Sie und Tante Bella du. Trotz ihrer scharfen und manchmal auch recht taktlosen Zunge von den meisten geliebt. Je unbürgerlicher meine Freunde waren, desto mehr wurde sie von ihnen verehrt. Der letzte war wohl Klaus Mann, dem ich 1947, vor meiner endgültigen Abreise aus Holland nach Deutschland, von der er mich durch lange Gespräche vergeblich abzubringen versuchte, dem ich also damals gesagt hatte, dass meine Mutter, die er nicht kannte, sich über ein Zusammentreffen mit ihm freuen würde und die er von diesem Zeitpunkt an regelmäßig und gern besuchte, was in einem seiner Briefe dokumentiert ist. Ich besitze noch sein Buch *Vergittertes Fenster*, eine Novelle über Ludwig II. mit der Widmung für Mutter: «Eine Geschichte aus unserer bayerischen Heimat», so das Gemeinsame betonend.

Ich dachte oft, wie sehr könnte ich sie lieben, wenn sie bloß nicht meine Mutter wäre. Ich liebte sie trotzdem, und seit ihrem Tod, der jetzt über dreißig Jahre zurückliegt, fehlte sie mir sehr, und sie wird mir fehlen, solange ich lebe.

Sie wollte mich anders als ich bin: gesellschaftlich erfolgreich, oberflächlich, schön, mondän. Sie suchte Kleider für mich aus, was ich verabscheute, wollte gern stolz auf mich sein, wozu ich ihr wenig Anlass gab, und als ich einigen Erfolg als Schriftstellerin hatte, hat sie es nicht mehr erlebt.

Sie übte gern Macht über mich aus, doch wenn es nötig war, konnte ich auf sie zählen.

Ihr Lieblingskind war mein Bruder, schon deshalb, weil zu jener Zeit ein Sohn einfach mehr galt als eine Tochter. In und vor allem nach dem Zweiten Weltkrieg änderte sich das zu meinen Gunsten. Die gemeinsam erlebte Kriegs- und Verfolgungszeit hat uns einander nahe gebracht. Außerdem tat ich ihr Leid, weil ich Edgar, meinen Mann, den auch sie geliebt hatte, fast wie ein eigenes Kind, so früh und auf so grausame Weise verloren hatte. Die Nazis hat sie nie ganz begriffen, sie hielt sie für Menschen, mit denen sich reden ließ.

Dabei war sie wehrhaft und ließ sich nichts gefallen.

Einmal, noch sehr zu Anfang des Dritten Reichs, ging ich abends mit ihr am Uferweg in Egern spazieren, als uns ein Kollege Vaters, der mit seiner verstorbenen Frau häufig bei uns zu Gast gewesen war, mit seiner jungen zweiten Frau entgegenkam. Mutter wusste, dass er in Egern war, sich aber nicht hatte blicken lassen. Jetzt ging er auf sie zu und sagte herzlich: «Wie schön, dass ich Sie treffe, Tante Bella.» Mutter nahm seine ausgestreckte Hand nicht und sagte: «Wer mich am Tag nicht kennt, den kenne ich auch nicht am Abend.»

Der Fürstin Henkel-Donnersmark, die in derselben Straße wohnte wie wir und ihr geschrieben hatte, sie solle doch unseren Hunden Maulkörbe anziehen, sie würden immer über ihren Hund herfallen, antwortete sie: «Es reicht schon, dass ich einen Maulkorb tragen muss, meine Hunde bekommen keine.»

Sie bewunderte Künstler und Adlige und hatte bei diesen Vorlieben Glück. Zwei Prinzessinnen, eine aus dem Hause Wittelsbach, waren Duzfreundinnen, der Heldentenor der Wiener Oper, Leo Slezak, war ein guter Freund. Auch er hatte ein Haus in Egern, nahe dem unseren. Wenn er, der einen Tag vor ihr Geburtstag hatte, zu dem ihren kam, sang er ihr, die ihn am Klavier begleitete, ein Lied. Meist war es *Der Lenz* von Hildach, ein schreckliches Kitschstück, bei dem er das hohe C herausschmettern konnte, aber manchmal sang er auch – und das beglückte mich – den *Lindenbaum*. Ich war tief gerührt, als ich vor einigen Jahren im Residenztheater – in dem nach Thomas Manns *Zauberberg* geschickt zusammengestellten Stück *Fülle des Wohllauts* die Slezak-Platte mit dem *Lindenbaum* – die Stimme meiner Kindheit und Jugend, wieder hörte.

Einer Familiensage zufolge, für deren Wahrheit ich

nicht einstehen kann, war Mutter der Kaiserin Elisabeth von Österreich am Tegernsee begegnet. Bei dieser Gelegenheit soll die Kaiserin sich zu der kleinen Bella niedergebeugt, ihr einen Kuss gegeben und gesagt haben: «Du bist ein niedliches kleines Mädchen.»

Als der erste Weltkrieg ausbrach, war Fritz, mein Bruder, gerade neunzehn Jahre alt. Vorher hatte man ihn als zu schmal beim Militär abgewiesen, was ihn offenbar kränkte, denn jetzt meldete er sich sofort freiwillig zur Infanterie und befand sich zur Grundausbildung in der Wörthschule in München, keine halbe Gehstunde von unserer Wohnung entfernt.

Mutter und ich besuchten ihn. Die Schule war recht verdreckt, und die Massenunterkunft mit Strohsäcken für unsere damaligen bürgerlichen Begriffe unbeschreiblich primitiv. Fritz jedoch schien recht vergnügt zu sein, erzählte, die Kameraden hätten ihn gefragt, ob Mutter sein *Gspusi* sei (Freundin sagte man noch nicht). Mutter war ja tatsächlich nur zwanzig Jahre älter als er und sah durch ihre Kleinheit sehr jung aus.

Auf unserem Heimweg weinte sie über die Zustände in der Schule. Doch sie war niemand, der es bei Tränen beließ. Zu Hause setzte sie sich hin und schrieb an den zuständigen Major, dass es eine Schande sei, wie man Kriegsfreiwillige behandele. Der Major schrieb zurück, Mutter lud ihn mit seiner Frau zum Abendessen ein. Eine neue Freundschaft war entstanden. Aber auch die Verhältnisse in der Wörthschule hatten sich schnell und gründlich gebessert.

Mutter hatte, wie alle Mädchen aus den sogenannten besseren Kreisen ihrer Zeit, nicht viel gelernt. Ein bisschen Französisch und Klavierspielen, ein bisschen Nähen und Kochen. Einen Beruf zu ergreifen, war eine Unmöglichkeit. Ein Mädchen hatte zu heiraten. Das taten die meisten sehr jung. Und Mutter war keine Ausnahme. Sie stand unter der Fuchtel ihrer herrschsüchtigen Mutter und musste froh sein, dass man ihr erlaubte, den Mann zu nehmen, den sie liebte. Sie machten, wie es sich gehörte, die Hochzeitsreise an die Riviera und nach Paris. Von dort kehrten sie nach München zurück, keineswegs in eine eigene Wohnung. Sie zogen mit den Großeltern zusammen, und Großmutter, später von uns O genannt, bestimmte weiter, was zu geschehen hatte. Das ging schon im ersten Jahr nicht gut. Vater gehörte einem Kegelclub an und ging einmal in der Woche abends zum Kegeln. «Das kannst du dir nicht gefallen lassen, wehre dich rechtzeitig», hetzte die O ihre gefügige Tochter auf.

Mutter wehrte sich und vergoss ein paar Tränen, wenn Vater zum Kegeln ging.

Aber sehr gegen sein wirkliches Wesen blieb er hart und erklärte energisch, dass er nicht daran denke, auf alles zu verzichten, weil er jetzt verheiratet sei.

Ich kenne die Geschichte natürlich von Mutter, die sagte, dass sie in diesem Augenblick zu einer sie nie mehr verlassenden großen Selbstständigkeit gefunden habe, und dass sie zu diesem Zeitpunkt ein wirklicher Mensch geworden sei.

Ich kann die Geschichte nicht kontrollieren, aber ein selbstständiger Mensch ist sie wirklich gewesen. Und da ich der O, die ich hasste, alles Schreckliche zutraute, konnte ich mir ihre Hetzreden gut vorstellen.

Auch viel, viel später, als Vater längst nicht mehr zum Kegeln ging, aber oft abends lang dauernde Sitzungen hatte, kam die O, mit der wir bis zu ihrem Tod zusammenwohnten, in das Schlafzimmer der Eltern, um Mutter zu fragen, ob er immer noch nicht zu Hause wäre. Meistens sagte Mutter dann: «Aber Mamà, das geht dich nichts an, leg dich wieder ins Bett.»

Mutter war ein ungemein real denkender Mensch, alles Mystische hielt sie für Spinnerei und behauptete von sich selbst, kein Unterbewusstsein zu haben. Aber einmal ging sie doch mit einer jungen Freundin zu einer in München auch von soliden Geschäftsmännern frequentierten Wahrsagerin. Die Frau sagte zu ihr: «Sie leben in einer unglücklichen Ehe.» Mutter lachte laut, denn ihre Ehe war ja wirklich ungewöhnlich glücklich.

Als die Frau aber um Vaters Daten bat, sagte Mutter: «Ich glaube zwar nicht an Ihren Quatsch (das sagte sie bestimmt wörtlich), aber ich will nichts über meinen Mann hören, es könnte mich belasten.» Wieso sie Vaters Geburtsdatum dann doch nannte, weiß ich nicht. Die Frau jedenfalls rechnete herum und kam zu dem Schluss: «Ja, jetzt glaube ich, dass Ihre Ehe glücklich ist, aber das liegt ausschließlich an Ihrem Mann.»

Seit dieser Zeit bin ich geneigt, Wahrsagern eher zu

glauben, denn was diese Frau, vermutlich aus geübter Menschenkenntnis heraus, sagte, stimmte. Das Glück dieser Ehe beruhte im Wesentlichen auf Vaters Gelassenheit, obwohl seine unerschütterliche Ruhe Mutter manchmal sehr auf die Nerven ging. Sie war eher geneigt als er auszubrechen, hatte ein paarmal heftige Freundschaften, er ließ alles gelten, ohne ein Wort zu sagen. Freilich brauchte er auch nicht viel Angst zu haben. Erotik spielte in ihrem Leben kaum eine Rolle. Ja, mehr noch, sie war unzärtlich, etwas, was mich manchmal heftig gegen sie aufbrachte.

Als ich einmal nach einer schlecht ausgeführten Abtreibung sehr krank war und der Professor, zu dem man mich gebracht hatte, im Krankenhausgang sagte, dass er die Sache noch einmal machen müsse, aber nicht viel Hoffnung habe, war sie, soweit ich mich erinnern kann, wirklich zärtlich zu mir, nahm meinen Kopf in beide Hände und küsste mich.

Jede Generation hat im Alltag ihre Lieblingswörter und ganz sicher haben auch die Intellektuellen einer Generation gemeinsam geliebte Dichterworte. Eines war bei uns Hölderlins «Leicht zerstörbar sind die Zärtlichen».

Wie sie sich da über mich neigte, meinen Kopf mit beiden Händen hielt, durchzuckte mich die wilde Gewissheit: Sie ist keine Zärtliche, ist nicht leicht zerstörbar, sie wird mir lange Zeit erhalten bleiben, und das ist gut.

Sie wurde 86 Jahre alt, während ich dieses schreibe,

bin ich auf den Monat vier Jahre älter als sie es geworden ist.

Zwei Dinge sind es, die ich ihr vor allem zu verdan-
ken habe. Einmal die Pünktlichkeit, die sich auf uns
alle übertrug, weil Mutter sofort unerträglich wurde,
wenn sie aus irgendeinem Grund ein paar Minuten
zu spät dran sein musste. Auch als ich längst schon
Auto fuhr (auf leereren Straßen als heute), brachte ich
es auch bei großen Entfernungen fertig, auf die Minute pünktlich zu kommen.

Wertvoller ist das zweite, das Mutter mir mitgegeben
hat. Sie hat mich nicht dazu erzogen, sie hat es mir
vorgelebt: Mich auch dann, wenn es mir körperlich
schlecht ging (was selten der Fall war), nicht gehen zu
lassen. «Ich kann nicht», bedeutete für sie in den meisten Fällen ein: «Ich will nicht», und das ließ sie nicht
gelten. Bis heute und gerade als sehr alte Frau versuche ich, sobald ich das Gefühl habe, ich kann nicht,
es doch zu tun, und wirklich ist es fast immer so, dass
ich es doch kann.

DER BRUDER

Fritz war fast zwölf Jahre älter als ich. Während meines ersten Schuljahres ging er in die Oberprima.

Unsere Schulen lagen nahe beisammen. Er holte mich mit Klassenkameraden oft am Mittag ab. Nicht meinetwegen, doch ich hatte eine junge, strahlend schöne Lehrerin, die uns Kleine meist auf die Straße begleitete, um uns den Abholenden zu übergeben.

Fritz machte das Abitur, studierte zwei Semester Jura in Berlin (ich glaube nicht, dass er je etwas anderes wollte, als einmal in Vaters Kanzlei einzutreten). Nach den beiden Semestern ging er als Kriegsfreiwilliger an die Front.

Er war begabt, intelligent, sehr musikalisch, und ich denke manchmal noch heute, dass er ebenso gut hätte schreiben können wie ich. Er hat es nicht getan, machte nichts aus seinen Talenten, ja, unterdrückte sie, einem angenehmen, bürgerlichen Leben zuliebe. Nur Klavier übte er wie besessen und nahm auch noch als Erwachsener Stunden bei ausgesucht guten Lehrern.

Als er 1918 aus dem Krieg zurückkam, war ich zunächst erstaunt, dass ein anderer Mensch in unserer Familie die gleichen Rechte hatte wie ich.

Er war wie ein zweiter Vater für mich. Die beiden

wetteiferten um meine Gunst, erzählten mir immer neue, aufregende Geschichten (Vater oft, wie er es nannte, in «für die Jugend bearbeiteter Form», Fritz immer in aller Schärfe und Realität). So bildeten sie mich beide, ohne dass ich es merkte.

Manchmal ging ich auf meinen Bruder los, versuchte, mit ihm zu raufen, es war lächerlich, er konnte mich mit einer Hand zu Boden werfen.

Er interessierte sich für Kunst (hauptsächlich für Musik), aber auch für alles Reale wie Geld. Wie Mutter stand er politisch eher rechts, während Vater und ich die beiden «Linken» waren.

Oft setzte ich mich, um meine Schulaufgaben zu machen, in das Zimmer, in dem sein Flügel stand, und hörte ihm begeistert und glücklich zu.

Ich bekam auch Klavierstunden, doch es machte mir keinen Spaß, etwas zu lernen, was ein anderer so viel besser konnte, und ich gab die Stunden bald auf.

Fritz hatte ungeheuren Erfolg bei den Frauen (und sie bei ihm). Jede meiner Freundinnen war in ihn verliebt.

Sehr früh nahm er mich mit auf den Fasching. Die Eltern glaubten mich in seiner Obhut, doch wir sahen uns den ganzen Abend nicht, erst wenn der Ball zu Ende ging, suchte er mich, um mit mir zu Hause anzukommen, wo nicht selten die O in der geöffneten Haustür stand, uns erwartend.

Wann wir anfingen, uns leidenschaftlich zu lieben,

weiß ich nicht mehr. Auch nicht, ob es einen wirklichen Einschnitt gab, in dem wir uns beide klar darüber wurden.

Wir fuhren zusammen Ski, stiegen auf die bayerischen Berge, machten Bergwanderungen in Österreich.

In Gesellschaft saßen wir oft abseits und amüsierten uns über die anderen.

Als er sich mit seiner ersten Frau, einer Münchener Anwaltstochter, verlobte und bei ihr zu Hause aus diesem Anlass ein Vormittagsempfang gegeben wurde, gingen er und ich allein spazieren, was die beiden Mütter heftig erzürnte.

Es wurde über uns getuschelt, dessen bin ich gewiss, es machte uns nichts aus. Sollten sie uns nur für ein Liebespaar halten, in gewisser Weise waren wir es. Er formte mich so sehr, dass ich mein ganzes Leben lang mehr eine Schwester als eine Geliebte oder gar eine Mutter blieb.

Man reise damals weniger als heutzutage. Die unmittelbare Heimat war so schön und unberührt, dass sie alle Sehnsüchte stillte.

Aber 1925 (ich war gerade neunzehn) fuhren wir mit unserem Vetter Hans, Tante Lucies zweitem Sohn, per Bahn natürlich, über Wien, Budapest, Bukarest an die Schwarzmeerküste bei Konstanza und von dort weiter nach Konstantinopel, heute Istanbul, und weiter nach Smyrna, heute Izmir.

Große Reisen haben wir nicht mehr zusammen gemacht. Erst nach vielen Jahren fuhren wir mit unseren damaligen Partnern in Fritzens erstem Wagen, einem offenen Fiat, nach Jugoslawien, was bei den damaligen Straßenverhältnissen (ein Schlagloch am anderen, keine Tankstellen, keine Reparaturwerkstätten) recht abenteuerlich war und was uns trotzdem oder gerade deswegen sehr gut gefiel.

Wir blieben beide in München, bis die Notwendigkeit, in die Emigration zu gehen, uns auseinander riss. Fritz trat auf Betreiben unseres Vetters Hans in eine große Stahlveredelungsfirma in Berlin ein. Die ganze Firma übersiedelte nach London und nahm Fritz als Syndikus mit. Ich aber floh mit Edgar nach Holland.

Viel später, als Fritz mit 65 aufhörte zu arbeiten und nach Lugano zog, brachte das Schicksal uns wieder größere Nähe, denn ich war im Sommer immer am Lago Maggiore.

Unsere beiden Häuser lagen eine knappe Autostunde voneinander entfernt, wir sahen uns oft.

Zu seinem 90. Geburtstag konnte ich nicht kommen, weil ich nach einer schweren Krankheit noch zu angegriffen war, um nach Lugano zu fahren. Da schrieb ich ihm und zitierte aus dem Gedicht *Isis und Osiris* von Musil: «Unter hundert Brüdern dieser eine und er aß ihr Herz und sie das seine.» Ich schrieb weiter, dass dies doch gut zu uns passe, wie wir in unserer Jugend gewesen seien. Nur habe er ein bisschen weniger von dem Teil meines Herzens gegessen, dem die Metaphern entstammen und ich viel zu wenig von dem Teil seines Herzens, dem die Musikalität entspringt, die ich vor allem in der zweiten Hälfte meines Lebens, als ich fast ausschließlich mit Musikern oder doch mit Menschen, die mit Musik zu tun hatten, zusammen war, so dringend gebraucht hätte.

Fritz, der Spötter, oft Zyniker, war über diesen Brief gerührt, was ich nicht für möglich gehalten hätte.

An seinem 91. Geburtstag war ich wieder bei ihm, da war er schon sehr krank, hatte einen Pankreastumor und nur wenige Wochen noch zu leben.

Seine vierte Frau, eine Dänin, fragte ihn immer wieder, ob sie mich nicht rufen solle, und er hat jedes Mal verneint, sicher, weil er mir nicht so kurz nacheinander nochmals die Reise nach Lugano zumuten wollte.

Als ich hörte, dass es ihm schlechter ging, fuhr ich doch. Als ich plötzlich an seinem Bett stand, begrüßte er mich mit einem strahlenden, zufriedenen Lächeln, dem schönsten, das mich in meinem ganzen Leben begrüßt hat. Ich nahm seine Hand, küsste sie und sagte: «Du bist so oft zu mir gekommen, wenn ich dich brauchte, jetzt komme ich eben einmal zu dir.»

Ich wohnte in meinem Haus, als ich am nächsten Tag wieder zu ihm kam, lag er in tiefem Koma und starb wenige Stunden später.

Jetzt war auch der nächste Mensch von mir gegangen. Geblieben ist unendliche Leere und die trostlose Gewissheit, die Letzte in meiner Familie, ja, die Letzte eines ganzen Zeitalters zu sein.

Ich habe schon einiges über die O erzählt, vor allem, dass ich sie nicht leiden konnte (nicht riechen wäre genauer, denn sie hatte für mich einen unangenehmen Altweibergeruch). Nicht leiden, nicht riechen, das ist euphemistisch ausgedrückt, ich hasste sie, hasste sie wirklich, stärker oder doch anders als ich später Hitler gehasst habe, denn der Hass auf Hitler war ein eher abstrakter, im Leiden meiner zerstörten Jugend zerfließender Hass. O aber hasste ich persönlich, von Mensch zu Mensch. In unzähligen Schulstunden beschäftigte ich mich mit dem Gedanken, wie ich sie am besten beseitigen könnte, ohne mir dadurch allzu sehr zu schaden. Nun, ich habe sie nicht umgebracht, und sie blieb, wo sie war: bei uns zu Hause nämlich, bis sie mit vierundachtzig Jahren eines natürlichen Todes starb.

Zwei Jahre vorher hatte sie einen Schlaganfall gehabt, der dem zufällig anwesenden Arzt schwer genug erschien, nichts Therapeutisches mehr zu unternehmen. Doch O wachte wieder auf, sagte etwas lallend (ganz sprachgestört war sie nicht): «Ich habe fünf Mark fünfundachtzig im Portemonnaie gehabt.» Erst als festgestellt war, dass die Summe auf den Pfennig genau noch vorhanden war, konnte sie in Ruhe weiter- und zu Ende leben.

Sie war nicht fromm, obwohl sie ja ihren viel zu braven Mann, ihre Kinder und eigentlich ihr ganzes Leben der jüdischen Tradition verdankte, nach der ein junger Witwer seine ledige Schwägerin heiraten soll. Großvater war zuerst mit einer ihrer Schwestern verheiratet gewesen, die jung gestorben war.

Sie ging nur am Versöhnungstag in die Synagoge und da auch nur gegen Abend in den Seelengottesdienst zum Gedenken an die Verstorbenen, fastete nicht oder höchstens den halben Tag und fuhr auch mit der Trambahn zum Gotteshaus. Merkwürdigerweise feierte sie ihren Geburtstag nach dem jüdischen Kalender, zwar immer im Dezember, doch jedes Mal an einem anderen Datum. Ich fand das drollig und zerbrach mir nicht weiter den Kopf, da ich so gut wie nichts vom Judentum wusste (und das wenige nicht mochte), war es eben so.

Nie habe ich ganz begriffen, warum meine unkonventionelle Mutter es nicht fertig brachte, sie einfach fortzuschicken, in ein Heim, ein gutes Hotel, zu Tante Lucie nach Nürnberg, und statt dessen dauernden Unfrieden in Kauf nahm. Ich habe noch jetzt ihr gereiztes «aber Mamà» im Ohr.

O redete in alles drein. Einmal, sie war schon ziemlich alt, hatten wir viele Gäste zum Tee, unter anderem einen Grafiker. Er zeigte uns einen Umschlagentwurf mit einem Bild des heiligen Sebastian, von Pfeilen durchbohrt, an der Martersäule.

Das Blatt ging von Hand zu Hand und landete schließlich bei O, die zu dieser Zeit schon fast nichts mehr sah. Trotzdem betrachtete sie andächtig das Blatt, warf dazwischen einen verstohlenen Blick auf den Künstler und kam dann zu dem laut abgegebenen Urteil: «Fescher Kerl.»

«Aber Mamà,» sagte Mutter, doch wir hatten es alle gehört und lachten darüber.

Ein anderes Mal kam eine Bekannte tränenüberströmt zu O und erzählte, dass die Ärzte die Hoffnung für ihren Enkel, der mit Tb in Davos war, aufgegeben hätten. O sagte: «Wie gut, wenn man zuverlässige Ärzte hat.»

Ich konnte mir lange Zeit nicht vorstellen, dass es Enkel gab, die ihre Großmutter liebten.

Jetzt, da ich selbst, wie ich sicher denke und hoffe, eine geliebte dreifache Großmutter, wenn auch nur Stiefgroßmutter bin, kann ich mir schon eher ein gutes Verhältnis vorstellen, obwohl ein gewisser Abscheu vor alten Frauen mir auch jetzt, wo ich selbst eine bin, geblieben ist.

GEBURT

Ich bin in Egern, an dem von beiden Eltern geliebten
Tegernsee, geboren, nicht in unserem eigenen Haus,
das gab es damals noch nicht, Vater schenkte den
Baugrund Mutter zu meiner Geburt. Hausgeburten
waren zu jener Zeit eine Selbstverständlichkeit, sonst
wäre es nicht zu begreifen, warum meine Eltern sich
für das damals so abgelegene Egern entschieden hatten, wo sie bei Emil Ganghofer, einem Bruder Ludwig Ganghofers, zur Miete wohnten. Es wäre auch
fast schief gegangen. Mutter war nach Dorles Tod
und einer folgenden Nierenentzündung noch recht
geschwächt, und ich hatte so wenig Eile, auf die Welt
zu kommen, dass der aus München bestellte Professor
Mitte Juli in Urlaub fuhr und Vater einen neuen Ge-
burtshelfer herbeizaubern musste. Es war eine schwere Geburt, mit einem aufblasbaren Ballon eingeleitet,
aber schließlich war ich doch am 18. Juli morgens um
sechs Uhr da. Ein recht dickes Mädchen mit erstaun-
lich vielen dunklen Haaren auf dem Kopf. Das Gang-
hoferhaus liegt genau an dem Punkt, von dem aus
man den ganzen See und die Egerner Bucht über-
blickt. Meine Augen sahen als Erstes die geliebte Landschaft, Schönheit, nur Schönheit.
Im Haus wohnten Emil Ganghofer, der früher zur

See gefahren war, und einen nervösen Gesichtstick hatte – jetzt war er Fotograf, setzte seine Kunden vor eine mit Bergen bemalte Leinwand und knipste unter einem schwarzen Tuch –, Emils Frau Bim und sein Sohn Rudi. Da war auch noch Bims Schwester, Grete von Schönthan, eine sehr liebe, kluge ältere Dame, die gemeinsam mit Mann und Schwager den *Raub der Sabinerinnen* geschrieben hatte. Sie hat es mit ihrem Humor und ihrer Natürlichkeit meinen Eltern so angetan, dass sie ihr Neugeborenes, das zum ersten – und einzigen Mal – das getan hatte, was man von ihm erwartete, nämlich ein Mädchen zu sein, nach ihr Grete nannten.

In meinem ersten Jahr wurde unser Egerner Haus gebaut, vermutlich stand ich in meinem Kinderwagen recht oft auf dem Bauplatz, geblieben ist mir natürlich nichts davon, nur dass ich das, was da entstand, später über alle Maßen liebte.

Kaum war ich auf der Welt, bekam ich eine Amme, eine Bergarbeiterfrau aus Hausham bei Schliersee, die einen Buben hatte, der Otto hieß und mein Milchbruder wurde. Ich habe sie beide nur einmal noch gesehen, als Neunjährige. Sie schienen mir sehr schüchtern und verlegen zu sein.

Warum Mutter mich nicht selber stillte, weiß ich nicht. War sie zu schwach? Hatte sie zu wenig Milch? Oder war es in den «besseren Kreisen» damals üblich, die Kinder nicht selbst zu stillen?

SPIELSACHEN

Ich war ein verwöhntes Kind und hatte viele Puppen. Aus keiner machte ich mir etwas. Vielleicht schon ein Anzeichen dafür, dass ich mir später im Grunde nie ein Kind wünschte, jedenfalls nicht mit der Intensität, mit der es wohl die meisten Frauen tun. Die Behauptung: ich kann in diesen Zeiten kein jüdisches Kind zur Welt bringen, war richtig, aber diente doch auch als Ausrede. Merkwürdig ist, dass ich neben den Puppen, die ihre Augen schließen oder Mama sagen konnten, aber sonst immer die selben langweiligen Gesichter behielten, kein Stofftier hatte. Ich weiß nicht, ob die Eltern mir keines schenkten, es gab noch nicht so viele Stofftiere wie später, oder ob ich mir nie eines gewünscht hatte. Ich liebte Tiere über alles, besonders Hunde, doch ich glaube, dass ein Stofftier mit seinen Glasaugen für mich kein Ersatz für ein lebendiges Tier war.

Wir hatten in Egern Katzen und als ersten Hund meines Lebens den Deutschen Schäferhund Rasso, der nicht mir, dem dagegen ich gehörte, denn er hielt mich für sein kostbares Eigentum, das er in jedem Fall bewachen und beschützen musste. Er war bereit, sich beißend auf alles zu stürzen, was sich mir näherte. Rasso war im Grund zu groß und mit seiner stür-

mischen Liebe auch ein bisschen unheimlich. Ein Spielzeug war er nicht. Stattdessen spielte ich mit zwei leeren Fadenspulen, die ich an einer Schnur hinter mir herzog und die ich Fips und Fops nannte. Sie waren meine beiden Hunde, in denen ich all das sah, was mich damals schon und später an Hunden entzückte. Ich war nicht bereit, schlafen zu gehen, wenn Fips und Fops nicht an meinem Bett festgebunden waren. Und das ging so fort mein Leben lang. Noch heute mag ich nicht einschlafen, wenn meine kleine Lhasa-Apso-Hündin Shagi nicht bei mir im Zimmer ist und möglichst zu meinen Füßen auf meinem Bett liegt.

ERSTE LIEBEN

Helmut

Meine allererste Liebe – ich war erst acht – war Fritzens Freund Helmut, Sohn eines Gymnasiallehrers und entschlossen, Berufsoffizier zu werden. 1914 war er Offiziersanwärter und kam natürlich sofort an die Front. Er fiel als einer der allerersten, 1914, noch vor Langemarck.

Es war das zweite Mal, dass ein Mensch, der mir nahe stand, starb. Der erste Tote war mein Großvater gewesen: ein alter, lieber Mann, im Badezimmer am Morgen tot umgefallen. Doch Helmut war jung, in meinen Augen strahlend schön.

Die französischen Vettern

Eine von Großvaters Schwestern (seine sieben oder acht Brüder waren nach Amerika ausgewandert) hatte einen jüdischen Uhrenfabrikanten in La Chaux-de-Fonds in der Westschweiz geheiratet und dort eine große Familie gegründet. Ein Teil dieser Familie lebte inzwischen nicht mehr in der Schweiz, sondern in Paris und wollte, koste es, was es wolle, französisch sein.

Noch vor dem Ersten Weltkrieg besuchten die beiden Brüder André und Georges uns in Egern.

Georges, meine zweite Liebe nach Helmut (ich schreibe es hier, wie ich es damals ausgedrückt hätte), war das Bild eines gut aussehenden jungen Franzosen: schmal, dunkel, schnell, charmant, witzig, sprühend und von nicht zu überbietender Herzlichkeit.

André in allem sein Gegenteil: vierschrötig, verschlossen, wortkarg, von ungesunder Hautfarbe, ein bisschen zum Fürchten. Wir fuhren in einem Ruderboot auf den See. André stand auf und versuchte, das Boot zum Kentern zu bringen. Ich schrie, denn ich konnte noch nicht schwimmen und hatte ohnehin vor allem und jedem Angst.

Sie waren nur einmal bei uns, die französischen Vettern, dann kam der Krieg, und wie Fritz auf deutscher Seite, zogen sie sofort auf französischer ins Feld.

Noch vor Kriegsende erreichte uns über die Schweiz die traurige Nachricht: André war als Beobachter an der Front von einem Baum gefallen und seit diesem Sturz noch seltsamer als zuvor.

Er warf dem Bruder seiner Mutter, Onkel Charles, vor, dass dieser nicht die Heirat seiner Schwester verhindert habe, weil «etwas wie wir sich nicht fortpflanzen dürfe».

Auf kurzem Fronturlaub in Paris wurden die Brüder von ihrem Onkel Charles und dessen Frau Linda zum Lunch eingeladen. Während des Essens zog André einen Revolver, erschoss seinen Bruder Georges und die

Tante, feuerte auf den Onkel, den die Kugel jedoch nur streifte, und erstach ihn anschließend mit einem Küchenmesser.

Als die Polizei kam, ließ er sich ruhig festnehmen, saß später, da man ihm wegen Unzurechnungsfähigkeit keinen Prozess machen konnte, in einem Irrenhaus und löste besonders schwierige mathematische Aufgaben.

Helmut und Georges, meine beiden Kinderlieben, tot, ermordet. Ich hätte Lehren daraus ziehen sollen, aber ich begriff damals noch nicht, dass die Menschen Mörder sind, und es kam mir nicht in den Sinn, dass auch meiner großen erwachsenen Liebe Ähnliches widerfahren könnte.

Doch war ein Schatten auf meine besonnte Kindheit gefallen, ein Schatten, der nie mehr wich, der mich daran hinderte, jemals ganz gelöst und heiter zu sein.

ORTE DER HANDLUNG

Egern

Ich besuchte Tante Melitta und Onkel Michael oft in Untergrainau am Fuße der Zugspitze (ich war zusammen mit Fritz oben gewesen), die mir in ihrer Steilheit, ihrem Schneeferner und den nackten hellen Felsen sehr imponierte. Auf die stets wiederkehrende törichte Frage, was mir denn besser gefiele, Grainau oder Egern, gab ich zur Antwort: (denn natürlich gefiel mir die Zugspitze samt dem Waxenstein besser als mein sanfter Wallberg): «Egern, denn da gehören die Berge mir.»
Ganz hat dieses Gefühl nie aufgehört, heute nenne ich sie die Kinderberge, aber die Verbundenheit ist geblieben.

Niemand kann sich heute vorstellen, was für ein stilles, verträumtes Dorf dieser aufgeblasene Kurort einmal war.
Das heutige Talmi-Nobelhotel, nahe bei unserem ehemaligen Garten gelegen, war eine kleine Wirtschaft, in der wir jeden Abend mit einem Henkelgestell in Maßkrügen das dunkle Bier holten, eine Wirtschaft mit knarrenden Dielen, in der sich auch eine Bäckerei be-

fand, in der es herrlich nach frisch gebackenem Brot und Kümmel roch. Wie schön war es erst im Winter, wenn an einem immer wieder mit Wasser übergossenen Holzgestell im Wirtschaftshof die schönsten Eiszapfen hingen, die in allen Farben leuchteten.

Ein Ort, in dem man jeden Weg, auch den entlegensten, kennt, jeden Baum, jede zarte Linie der Berge, jeden Geruch, jede Beleuchtung, jede bunt blühende Wiese, jeden Bauern, der des Weges kommt, jede Bäuerin in ihrer schönen Tracht, den Klang der Kirchenglocken, ob sie einen Feiertag, die Messe, ein Begräbnis einläuten, oder wenn ein schweres Gewitter mit Sturm droht, auch vor dem Unwetter mit aufgeregtem Gebimmel warnen.

Ein Ort, in dem man das Geräusch der Wellen kennt, die gegen das Ufer schlagen, ein See, den man oft von einem zum anderen Ufer durchschwommen hat, auch im Spätherbst, wenn einem die Kälte den Atem nimmt.

Ein Ort, in dem man, tritt man in ein Geschäft ein, oft mit Namen oder doch mit Handschlag begrüßt wird. Ein Ort, in dem man weiß, dass es in dem einen Kaufhaus nach der Appretur von neuen Dirndlstoffen riecht, im anderen nach Wasch- und Putzmitteln.

Ein Ort, in dem man im Winter, die Skier an den Füßen, die steilen Hänge hinaufsteigt, und in ein paar Schwüngen hinunterflitzt. Wo unten der beste Läufer des Tales, einer der besten des ganzen Landes

steht und Bravo schreit, ein bisschen lauter vielleicht als es nötig wäre. Später wird er ungeachtet seines Meisterschaftstitels aus der SA ausgeschlossen, weil er sich zu oft vor den Pflichtabenden gedrückt hat.

Ein Ort, in dem einen jeder kennt, wo man die Dispeker Gretel heißt, auch wenn man schon längst einen anderen Namen hat.

Ein Ort, in dem man zu Hause ist, wirklich zu Hause, auch dann noch, als über dem Ortsschild ein Transparent mit der Aufschrift hängt: «Juden betreten den Ort auf eigene Gefahr.»

Das Transparent macht die Menschen hässlicher, nicht den Ort.

Der Ort wird erst hässlich, als der Massentourismus einsetzt.

Vor mir liegt die Ablichtung eines Briefes, den mein Vater im Mai 1935 an den damaligen Bürgermeister geschrieben hat und den mir ein mir freundlich gesonnener Bewohner jetzt hat zukommen lassen, um seinen späten Abscheu vor den Ereignissen zu bekunden. Mein Vater schreibt darin, dass auf der Straße vor unserem Haus mit roten Riesenbuchstaben gestanden habe: «Judenschwein, packe dich fort.» Packe dich fort – das war kein Bayer, so redet ein Bayer nicht, doch es war schlimm genug. Der Brief meines Vaters, der sich beschwerte und meinte, es schade dem Ansehen des Ortes, und der Bürgermeister könne etwas dagegen tun, ist naiv, aber im Mai 1935 war man

50

eben noch naiv und ahnte auch nach zwei Jahren der
Nazi-Herrschaft nicht, was kommen würde.

Ich war im Mai 1935 in Italien, habe es bestimmt
nach meiner Rückkehr von den Eltern erzählt bekommen. Wie dem auch sei, ich weiß es nicht mehr,
habe es vergessen, verdrängt wäre besser, keine Erinnerung daran ist geblieben.

München

Von allen bombardierten Städten, die ich kenne, ist
München am wenigsten zerstört worden. München
hat nie eine besonders schöne Altstadt wie Frankfurt
gehabt, bei der das Herzstück verbrannte.

In München sind die großen Transversalen Maximi-
lian-, Ludwig-, Briennerstraße erhalten geblieben. Der
Englische Garten, in dem ich unzählige Kinder- und
Jugendstunden verbrachte, ist immer noch eine grüne
Oase, die Ludwigskirchtürme sind vom Monopteros
aus zu sehen wie eh und je.

Als ich zur Welt kam, wohnten wir in der Prinzregen-
tenstraße, an einer Stelle, an der heute kein Haus
mehr steht, und zwei kleinere Straßen, eine Grün-
fläche zwischen sich, sich zu einer vereinigen. Ich weiß
nicht mehr viel von dieser Wohnung, nur dass sie noch
kein elektrisches, sondern Gaslicht hatte, das zischte,
wenn man es anzündete.

Im Flur neben der Haustüre hing ein unförmiger, selten gebrauchter Kasten an der Wand, das war das Telefon, von dem aus man nur über das Amt andere Teilnehmer erreichen konnte.

Als ich sechs war, zogen wir in die Widenmayerstraße zwischen Prinzregenten- und Tivolibrücke, dem Friedensengel fast gegenüber. Wir hatten zwei Wohnungen in der zweiten Etage, das Haus besaß einen Aufzug, (welcher Spaß für mich). Die eine Wohnung gehörte uns, die andere O. Nach dem Ersten Weltkrieg, als Wohnraum knapp war, hätten wir (wie gut wäre es gewesen) fremde Leute hereinnehmen müssen. Stattdessen wurde die Wand zu O's Wohnung herausgebrochen, so dass sie jetzt praktisch bei uns wohnte, keine eigene Küche, kein eigenes Bad und auch kein eigenes Dienstmädchen mehr hatte, was die Spannungen zwischen Mutter und ihr nur vergrößerte.

Die Widenmayerstraße hatte kaum Verkehr (heute fahren dort Autos auf vier Spuren), man sah auf die Isar, die grün dahinbrauste, noch ein wirklicher Gebirgsfluss. Im Frühjahr blühten in den Uferanlagen rosa die Mandelbäumchen.

Mein Schulweg von 1916 an: Vater, der um diese Zeit seiner Kanzlei in der Kaufingerstraße zustrebte, begleitete mich meistens, erst an der Isar entlang, dann am Nationalmuseum vorbei, dann links zur Liebigstraße und der Annaschule.

Vor einigen Jahren wurde ich nach einer Lesung von einer Zuhörerin gefragt, ob ich auch in einer Schule lesen würde. Und als ich freudig bejahte (in Schulen zu lesen und von der Nazizeit zu erzählen, schien mir immer besonders wichtig zu sein), stellte sich heraus, dass es sich um meine frühere Schule handelte, die zu jener Zeit noch kein Gymnasium, sondern nur eine «höhere Töchterschule» war.

Die Zwölfjährigen mussten sich damals entscheiden, ob sie noch drei Jahre auf der alten Schule bleiben oder für sechs Jahre aufs Gymnasium wechseln wollten. Natürlich entschied ich mich für die drei Jahre, und da die Eltern fast immer das, was ich wollte, tolerierten, stimmten sie dem zu, was eigentlich einer Diskriminierung gleichkam, bei einem Sohn wäre es ausgeschlossen gewesen. Ich glaube nicht, dass bei meinem Bruder auch nur einen Augenblick überlegt wurde, bevor er selbstverständlich auf ein humanistisches Gymnasium kam.

Ich habe es später gebüßt, als zwei oder drei Jahre nach meiner Schulzeit der Wunsch in mir entstand, zu studieren und ich mit viel harter Arbeit das Abitur als Externe machte und prompt durchfiel (im Zeichnen und deutschen Aufsatz, allen Kindern mit schlechten Noten sei dies zum Trost gesagt, denn geschrieben hatte ich immer schon ganz gut).

Da ich nicht so leicht von einem einmal gefassten Entschluss abzubringen bin, machte ich das Abitur in Frankfurt noch einmal, und dort bestand ich es auch.

Als es seinerzeit zur Lesung in der Annaschule kam, hatten die heutigen Lehrer die Freundlichkeit, mir meinen einstigen Schulbogen von 1916 herauszusuchen, auf dem bei der Staatsangehörigkeit: «Bayern» und dem Stand der Eltern: «Königlich Bayerischer Justizrat» steht. Auch sind sämtliche Noten meiner Schulzeit darauf verzeichnet. Sie waren ganz ordentlich, in der letzten Klasse hatte ich in Deutsch schon eine Eins, und nur im Französischen haperte es. Vermutlich lag es daran, dass ich keine Diktate schreiben konnte, weil ich schon damals so schlecht hörte, dass ich den diktierenden Lehrer nicht verstand. Heute würde man das bei einem so gut behüteten Kind wie ich es war, wissen. Damals nahm man es hin, weil es eben so war.

Wir wohnten also an der Isar, hatten Bekannte und Freunde in Bogenhausen, dem Herzogpark, in Schwabing, Nymphenburg, Orten, die man leicht zu Fuß oder mit der Tram erreichen konnte. Es gab noch fast keine Autos, alles war bequem und ohne Gehetze zu bewältigen. Den Begriff Stress gab es noch nicht.
Man lebte im Abseits von Schwabing, das Münchens Ruhm als Kunststadt begründete. Natürlich ging man ins Theater, vor allem zu den Kammerspielpremieren, meine Eltern auch sicher ab und zu in den *Simpel* zu Katie Kobus, aber das waren Ausnahmen. Mit Georg Hirth, dem Herausgeber der *Münchner Neuesten Nachrichten*, der einzigen in Frage kommenden Zeitung, waren die Eltern befreundet, und Vater war auch im Aufsichtsrat der Zeitschrift *Jugend*, die im selben Ver-

lag herauskam. Wir besaßen in Egern alle Jahrgänge der *Jugend* gebunden, die bei der Emigration wie so vieles andere verloren gegangen sind. Wir hatten keine Bekannten außerhalb der Stadt.

Heute wohne ich außerhalb Münchens im schönen Vorort Grünwald, bin auf das Auto angewiesen, habe Freunde im ganzen Oberland, einen Tierarzt in Starnberg, einen Zahnarzt am Starnberger See, einen Arzt in Miesbach.

Ich liebte München und liebe es noch: seine gute Mischung aus nördlicher Rauheit und südlichem Glanz, ich mag die Menschen, ihren oft ins Grobe entgleisenden Charme, ihren Dialekt.

DER GELIEBTE

O's ebenso intelligenter wie tyrannischer Bruder, Onkel Sigmund, hatte drei Töchter, von denen die mittlere, Paula, schon als junges Mädchen eine Schönheit war und demzufolge heftig hofiert wurde. Sie hatte eine Studentenliebe, einen angehenden Arzt. Irgendein wohlmeinender Zeitgenosse erzählte ihren Eltern, dass die beiden sich geküsst hatten. Darob große Aufregung. Onkel Sigmund ließ den jungen Mann kommen und fragte: «Wollen Sie meine Tochter heiraten?» – «Nichts lieber als das», war die Antwort, «doch nicht sofort, ich bin, wie Sie wissen, der Sohn einer wenig begüterten Witwe. Ich muss erst zu Ende studieren und mir eine Stellung schaffen, die es mir ermöglicht, ein so schönes Mädchen wie Paula standesgemäß zu unterhalten.» – «Schlagen Sie sich die Sache aus dem Kopf», sagte mein Onkel, «Paula ist mir zu schade, um zu warten, bis sie eine Matrone ist.» (Sie war gerade zwanzig). So zerbrach diese Liebe an der Konvention, und für Paula wurde eilig eine passende Partie gesucht und natürlich gefunden, da sie ja nicht nur schön war, sondern auch über eine reichliche Mitgift verfügte. Irgendjemand brachte einen aus der Pfalz stammenden, in Frankfurt am Main sesshaft gewordenen Apotheker ins Gespräch, einen stattlichen, gut aussehenden Mann (aber das ist schließlich Geschmacksache), der es vermutlich noch weit bringen würde, eine Voraussage, die er später mit der Gründung einer gut gehenden Arzneimittelfabrik auch einlöste. Paulas Geschmack war er trotzdem nicht, doch von ihren Eltern mürbe geredet, willigte sie schließlich in die Verlobung ein.

Mutter, die mit Paula besonders gut stand, bot ihr an, zu meinen Eltern zu ziehen, wenn sie es zu Hause nicht mehr aushielte. Jedoch war Paula viel zu entschlusslos für einen solchen Schritt. Die Winternacht vor ihrer Hochzeit verbrachte sie auf dem Balkon, in der Hoffnung, eine Lungenentzündung davonzutragen, aber Lungenentzündungen entstehen auch durch starke Unterkühlung nicht so schnell.

Der Betrogene war der junge Ehemann, der nicht wusste, nicht ahnte (und sehr feinfühlig war er nicht), was hier gespielt wurde und in dem Glauben, geliebt oder doch gemocht zu werden, heiratete. Er sah gut aus, hatte aber die nicht sehr guten Manieren eines Pfälzer Weinbauernsohns, und die Ehe war von Anfang an nicht gut. Er wünschte sich, seine junge, schöne Frau aller Welt vorzuführen, sie aber genierte sich, mit ihm als Ehemann aufzutreten.

Pünktlich nach neun Monaten kam das erste Kind zur Welt, es war ein Bub und wurde Hans genannt.

Zur gleichen Zeit war meine Mutter mit mir schwanger, Hans war auf den Tag zwei Monate älter als ich.

Nach weiteren zwei Jahren bekam Paula ihr zweites

Kind, es war wieder ein Sohn: Edgar.

Und da sind wir bei dem, der die ganz große Liebe meines Lebens wurde. Zwei Jahre jünger als ich. Wir kannten uns also, seit er auf der Welt war, denn Paula war mit ihren Kindern oft in München.

Die erste Eintragung in das Tagebuch, das ich damals ziemlich unregelmäßig führte, ist vom 2. August 1920: «Edgar geht mir schrecklich auf die Nerven.» Er war zärtlich wie ein verspielter junger Hund, und das war mir manchmal zu viel.

Als ich sechzehn, er vierzehn war, fand in München eine Art Handwerksmesse statt, die sich Gewerbeschau nannte. Unsere Mütter hatten beschlossen, dass Edgar und ich zusammen hingehen sollten. Ich tat es nicht gern, was soll eine 16jährige mit einem um zwei Jahre Jüngeren anfangen? Ich holte ihn bei seinen Großeltern ab, trug einen mit Blumen verzierten Florentinerhut, der mir ungemein gut gefiel. Mit der Trambahn fuhren wir gemeinsam zu dem Ausstellungspark. Außer vielem Handwerklichen gab es dort zahlreiche Bühnenbildmodelle. Und da geschah es, dass wir, sie anschauend, immer zur gleichen Zeit das gleiche sagten. Rückschauend weiß ich, dass wir uns an diesem Tag ineinander verliebten, so sehr, dass wir nie mehr voneinander loskamen. Er war ein schöner Junge, schmal, mit dunkler Haut, weißen Zähnen und tief schwarzem Haar, das bei manchen Bewegungen kupfern glänzte. Trotzdem hätte ich heftig protestiert, wenn mir jemand gesagt hätte: Das ist die große Liebe deines Lebens, und du wirst nie eine andere haben. Eine Sechzehnjährige kann in einem zwei Jahre jüngeren Bub nicht ihre Zukunft sehen, sie will sie überhaupt nicht sehen, will, dass alles noch im Geheimnisvollen ruht, und Edgar? Er sagte zum Schluss, als wir uns schon auf dem Heimweg befanden: «Du bist ein liebes Mädel, das liebste, das ich je getroffen habe.»

LILI

Mutters Schwester, Tante Lucie in Nürnberg, hatte drei Söhne und eine Tochter – Lili –, die genauso alt war wie ich.

Neun Jahre nach Lili kam noch eine Tochter zur Welt. Sie heißt Liese, lebt in den USA, kommt jeden Sommer nach Europa und ist mir eine vertraute Freundin. Doch in dieser Geschichte spielt sie noch keine Rolle.

Lili und ich sahen uns häufig, solange wir klein waren, stritten und rauften wir, ja, gingen mit Scheren aufeinander los, ohne uns wirklich etwas zu tun.

Es existiert ein Kinderfoto von uns, wir sitzen in Dirndlkleidern da, wie zwei unbelebte Puppen. Sie lustig und rund, ich schmal und ernst. Als wir älter wurden, liebten wir uns sehr. Jetzt waren wir vierzehn, unruhig, in der Pubertät. Lili war reifer als ich. Beide waren wir von dem Gedanken besessen, dass es schön wäre, zu sterben. Doch da wir gesund und kräftig waren, tat uns die Natur den Gefallen nicht, uns krank werden zu lassen. Da stand es für uns fest, dass wir es selbst tun mussten. Erwachsen wollten wir auf keinen Fall werden. Es gab eine Zeit, in der wir von nichts anderem redeten, und wenn wir uns schrieben, handelten die Briefe vom Tod.

Unsere Eltern wussten nichts von unserer Todessehnsucht, hätten sie wohl auch nicht verstanden.

Verstanden wir sie selbst? Es hatte nichts mit Verstehen zu tun. Wir waren traurig und anspruchsvoll, ohne zu wissen, wohin es uns trieb.

Ich hatte mich in der Tanzstunde mit einem jungen Musiker namens Pierre angefreundet, war ein wenig in ihn verliebt, wenn auch nicht sehr, denn ich liebte damals meinen zwölf Jahre älteren Vetter Robi, Tante Melittas jüngeren Sohn. Mit vierzehn Jahren hält man es nicht für möglich, zwei Männer zur gleichen Zeit zu lieben.

Um Pierre etwas Gutes zu tun, erzählte ich ihm von Lili und Lili natürlich von ihm.

Es ist nicht schwer, zwei sehr junge Menschen auf diese Weise ineinander verliebt zu machen.

Wir waren Ostern in Egern. Meine Eltern hatten mir erlaubt, Pierre einzuladen, und Lili war für die Dauer der Osterferien auch da.

Pierre und Lili liebten einander auf eine recht unschuldige Art, es geschah nichts weiter als dass sie sich küssten.

Doch eine Bekannte hatte es gesehen und erzählte es sofort Lilis Eltern. Und diese, beide recht bürgerlich und altmodisch dazu, verboten Lili jeden Kontakt mit Pierre. Doch natürlich schrieb er ihr an eine Deckadresse, als die beiden wieder zu Hause waren. Die Briefe waren wahrscheinlich nicht mehr ganz so harmlos wie das zärtliche Liebesgetändel.

Lili, gutgläubig und auch ein wenig schlampig, ließ sie in ihrem Schreibtisch liegen, der von den Eltern inspiziert wurde, während sie in der Schule war. Großes Entsetzen.

Ein Verbot war durchbrochen worden. Der Vater, ein an sich recht netter und vernünftiger Mann, gab Lili, die sich herauszureden versuchte, eine Ohrfeige. Kann eine Vierzehnjährige das hinnehmen? Ihr Bruder Hans, der ihr nahestand, versuchte, sie in einem langen Gespräch zu beruhigen, glaubte auch, als sie sich trennten, es wäre ihm gelungen.

Nachts legte Lili sich im Wohnzimmer neben einen Gasofen und drehte die Hähne auf.

Obwohl die Eltern und die drei Brüder samt der kleinen Liese in der Wohnung waren, roch bis zum Morgen niemand das Gas. Doch da war Lili längst tot.

Diesmal traf mich der Tod mit aller Wucht. Ich hatte nicht nur die liebste Freundin verloren, sondern musste mit dem Gefühl fertig werden, dass sie an meiner Stelle gestorben war. Hatte ich es mit dem Sterben nicht so ernst gemeint wie sie? Hatte ich mich drücken wollen? War ich ein Feigling?

Es dauerte lange, bis ich begriff, dass ich sie nie mehr sehen würde, dass ich erwachsen werden musste ohne sie. Da begann ich, mich vor dem Tod zu fürchten. War der Tod, vor dem ich mich nun ängstigte, nur ein romantisches Schlagwort für uns gewesen? Hatten wir je an das fürchterliche Niemehr gedacht? Lili war für mich nicht mehr erreichbar, sie wurde in einen Sarg gelegt und tief in die Erde versenkt. Dieses Bild war es, was mich vor allem quälte.

Die Eltern fuhren nach Nürnberg zur Beerdigung. Vorher hatten sie mir noch gesagt, dass ich Pierre nie mehr sehen dürfe. Ich regte mich auf, weil sie taten, als sei er Lilis Mörder.

Lilis Tod war das eingreifendste Ereignis meiner Jugend. Ich war von diesem Moment an nicht mehr ganz so sehr auf meine Person bezogen, fing an, mich leidenschaftlich für Politik zu interessieren und wünschte mir oft, ein Arbeiterkind zu sein, damit ich mich ohne jeden Zweifel und ohne schlechtes Gewissen ganz zum Sozialismus hätte bekennen können.

Pierre traf ich nie wieder, hatte aber Sehnsucht nach ihm. Einmal sah ich ihn von weitem in einem Konzert, erfuhr etwas später, dass er als ganz junger Kapellmeister an einer Infektion gestorben war.

Während die Eltern in Nürnberg bei Lilis Beisetzung waren und mich nicht allein lassen wollten, kam ich für einige Tage zu Tilly, Paulas jüngerer Schwester, nicht so schön wie Paula, eine große, elegante Frau mit slawisch hohen Backenknochen, die ihr Gesicht anziehend und interessant machten. Sie war verheiratet mit dem Besitzer eines großen Modegeschäftes.

Ich mochte sie gern, sie tat mir gut in diesen schlimmen Tagen.

Die an der Ecke Ohm- Königinstraße gelegene Wohnung war elegant, viel eleganter als die unsere und ganz nach englischem Geschmack eingerichtet. Da hingen Jagdbilder an den Wänden, obgleich Franz, Tillys Mann, nicht jagte, da stand eine Porzellanfigur der heiligen Barbara, der Schutzpatronin der Artillerie, weil Franz Artillerist gewesen war. Später hätte ich all das etwas spleenig und albern gefunden, jetzt war ich zu jung für Kritik.

Ich bestaunte Tillys Bett mit der in schönstes weißes Leinen eingeknöpften rosa Steppdecke, den mit Spitzen eingefassten Kissen und dem rosaseidenen Nachthemd, das fertig zum Gebrauch auf der Decke lag.

Ich schlief in einem kleinen Raum neben Tillys Schlafzimmer und weinte die ganze Nacht. Sie kam von Zeit zu Zeit, streichelte mich und versuchte, mich zu trösten.

Später emigrierten Tilly und Franz nach Amsterdam. Als sie deportiert wurden, starb er noch im holländischen Durchgangslager Westerbork, Tilly kam nach Theresienstadt, von dort wurde sie nach Auschwitz transportiert und vergast.

Ich bin traurig um sie, kann jedoch nicht umhin, die rosaseidene Pracht zu sehen, wenn ich an ihren Tod denke. Das und die Gaskammer – alles in einem Leben. Ist Tilly schwerer gestorben als andere, die ihr Leben lang unter einer Pferdedecke schliefen? Vielleicht. Vielleicht auch nicht. Nicht leichter und nicht schwerer. Entsetzlich war es für alle, denke ich zornig.

DIE ERSTE FLUCHT

Im November 1923 putschte Hitler im Bürgerbräukeller in München. Wir hörten es am nächsten Morgen, waren erschrocken, nahmen es aber nicht besonders ernst. Es hatte seit dem Ende des Ersten Weltkrieges so viele politische Unruhen gegeben. Ich ging am Vormittag zu Freunden. Von dort holte Fritz mich ab und sagte, ich müsse schnell nach Hause kommen.

Einige Nazis waren am Morgen in Vaters Kanzlei eingedrungen, um, wie sie sagten, Vater zu verhaften. Vater war wie jeden Vormittag bei Gericht, darauf sagten die Nazis, die das alles noch nicht so gut konnten wie später, sie würden am Mittag wiederkommen, dann solle Vater da sein. Fritz ging in den Justizpalast, holte Vater aus einer Verhandlung heraus und sagte ihm, er müsse fort, am besten zu seiner Schwester Melitta nach Untergrainau, wo zufällig Mutter gerade war, die sich nach einer Krankheit dort erholte.

Vater stimmte zu, wollte jedoch nicht ohne mich gehen. Ich packte in aller Eile ein paar Kleinigkeiten zusammen, und Fritz brachte mich in die Stadt. In der Zwischenzeit war der Putsch an der Feldherrenhalle durch einige Schüsse der Reichswehr beendet worden, was wir noch nicht wussten. Wir scheuten uns deshalb, am Starnberger Bahnhof einzusteigen und gingen zu Fuß nach Pasing. Fritz war zurückgeblieben, Vater und ich gingen allein. Der Bahnhof in Pasing war voller Nazis (kenntlich an ihren weißen Kniestrümpfen), die geschlagen nach Hause fuhren, was wir jedoch immer noch nicht wussten. Jedenfalls saßen wir im Zug, der in Tutzing etwas länger hielt. Als ein Gegenzug aus Garmisch ankam, meinte Vater, er glaube nicht, dass Mutter, wenn sie höre, was in München geschehen sei, noch in Grainau bleiben werde. Sagte das, ging an den Garmischer Zug, öffnete ein Abteil, in dem saß Mutter und stieg mit ihm aus. Ein Stündchen gingen wir zu dritt in Tutzing spazieren. Mutter sagte: «Ihr beiden fahrt nach Grainau, ich aber fahre nach München, ich lasse meinen leichtsinnigen Sohn nicht allein. Er darf nicht zu Hause schlafen, aber wenn ich nicht da bin, tut er es vielleicht doch.» Was sie vorschlug, geschah.

Auch in Garmisch waren noch sehr viele Nazis am Bahnhof. Wir machten uns auf den Weg nach Grainau. Es war eine schöne kalte Nacht. Hinter uns gingen zwei Weißbestrumpfte, als sie abbogen, wünschten sie uns freundlich eine gute Nacht. Es war alles ungemein friedlich, nichts war von Gefahr zu spüren. Wenn wir sie gespürt hätten, würden wir sie dennoch unterschätzt haben.

Warum sie Vater verhaften wollten? Als Geisel vermutlich, vielleicht wussten sie, dass er im Vorstand der Anwaltskammer war. Onkel und Tante in Grainau schliefen unruhig, als mitten in der Nacht ihr Schäferhund

anschlug. Der Onkel wollte aufstehen, doch die Tante
erlaubte es nicht. Mittlerweile stand ich an der Haustür und redete mit dem Hund, mit dem ich oft große
Spaziergänge gemacht hatte. «Flink», sagte ich, «hör
auf, du kennst mich doch.» Und Flink hörte wirklich
auf. Oben sagte die Tante: «Jetzt sind sie im Haus und
haben Flink umgebracht.» Dann saßen wir noch lange
zusammen und erzählten von München. Was dort geschehen war, hörten wir freilich erst am nächsten Tag.
Und das Leben ging weiter, als wäre nichts geschehen.
Ahnten wir immer noch nichts von der Gefahr?
Nicht, wie groß sie in Wirklichkeit war.
Was hätten wir auch anderes tun sollen, als zu bleiben?
Auszuwandern lag ganz sicher nicht im Bereich des
Möglichen. Wohin auch? Wovon hätten wir in einem
anderen Land leben sollen. Und warum? Nur weil ein
Verrückter geputscht hatte? Nein, wir nahmen es nicht
sehr ernst, und als es wirklich ernst wurde, hatten wir
uns daran gewöhnt zu sagen: So schlimm wird es
schon nicht werden.

Ein Jahr nach der Gewerbeschau fuhr ich zu Besuch nach Frankfurt. Nicht nur zu Edgar, ich war genauso viel mit seinem mir gleichaltrigen und auf alles eifersüchtigen Bruder Hans zusammen.

Nach und nach erfuhr ich von einem Schmerz, der Hans, wenn auch nicht absichtlich, durch Edgar zugefügt worden war. Hans hatte einen Klassenkameraden, Walter, auf dessen Freundschaft er großen Wert legte. Die Schule, in die sie alle drei gingen, besaß ein Landheim, in dem zu gleicher Zeit immer verschiedene Klassen untergebracht waren. Dort lernte Walter den zwei Jahre jüngeren Edgar kennen und ging mit fliegenden Fahnen zu ihm über.

Hans, der ältere, war kleiner als Edgar, gehemmter, hatte weniger Erfolg bei Menschen. Edgar, der Paulas unglückliches Leben, das Hans nicht wahrhaben wollte, durchschaute, war ihr Liebling, und jetzt hatte Edgar auch noch mich als Freundin.

Ich mochte Hans gern, fand ihn nur manchmal übertrieben: übertrieben ehrlich, ehrgeizig, preußisch.

Er und ich machten Radtouren zusammen, was schon deshalb für mich, die aus Bayern kam und damals nichts von französischer Besatzung wusste, sehr aufregend war, weil man genau aufpassen musste, um nicht in den französischen Sektor zu geraten.

Mit Edgar fuhr ich per Bahn nach Heidelberg, wo mich die Schlossruine, aber auch die schönen Hügel begeisterten. Auf der Heimfahrt, als wir beide im überfüllten Zug auf dem Gang standen, gab er mir den ersten Kuss, sanft hingehaucht auf die Schläfe, trotzdem sehr schön.

Ich bin die Strecke unzählige Male gefahren, mit der Bahn, mit dem Wagen, nie aber, ohne voll Rührung und Verlangen an diesen ersten Kuss zu denken.

Meine Eltern kannten die Besitzer einer Sektkellerei in Sachsenhausen.

Ich durfte mir den Betrieb ansehen. Natürlich nahm ich Edgar und Edgar nahm Walter mit, einen hübschen, großen, blonden Jungen, der mir sofort gefiel.

Wir wurden durch den Betrieb geführt, bekamen Sekt in jeder Menge und jedem Vergärungsstadium zu trinken, alle Angestellten des Hauses machten sich einen Spaß daraus, uns drei Kinder betrunken zu machen, was ihnen nur allzu gut gelang. Laut singend gingen wir den Sachsenhauser Berg hinunter, und die Passanten werden sich nicht wenig gewundert haben über uns drei, die schon zur Mittagszeit daherschwankten.

Übrigens habe ich nur noch einmal in meinem Leben einen Sektrausch gehabt (oder überhaupt einen Rausch, ich habe immer sehr mäßig getrunken), das war in der Nacht nach Walters Tod, als ein Freund in der Absicht, mir zu helfen, mich betrunken gemacht und nichts anderes als Sekt zur Verfügung hatte.

Ich sah Walter bei diesem Frankfurter Aufenthalt nur noch kurz wieder.

Im darauf folgenden Frühjahr machten Edgar, Hans, Walter, eine Freundin von mir und ich eine «Fahrt», wie man das damals nannte, an den Bodensee und von dort in den Schwarzwald und nach Freiburg.

Am ersten Tag stiegen wir auf den Pfänder, den kleinen Berg bei Bregenz. Beim Aufstieg sagte ich zu Walter, dass wir doch Du zueinander sagen sollten. Zu jener Zeit redeten sich auch junge Altersgenossen meistens mit Sie an.

Wir übernachteten bei Bauern im Heu, nur auf dem Feldberg kehrten wir in dem Unterkunftshaus ein. Am Morgen wollten Walter und ich in der nahegelegenen Molkerei Milch trinken. Als wir zurückkamen, fanden wir die anderen nicht mehr, sie waren weitergegangen. Wir mussten also den langen Weg nach Freiburg, wo wir uns bei Verwandten von mir treffen wollten, alleine gehen. Mir grauste ein bisschen davor, was ich den ganzen Tag über mit diesem, mir doch recht fremden Jungen reden sollte. Ohne zu ahnen, dass ich 21 Jahre meines Lebens, ohne mich je zu langweilen, mit ihm verbringen würde. Schon an diesem ersten Tag unterhielten wir uns glänzend und kamen so fröhlich in Freiburg an, dass die anderen, die wir dort trafen, glaubten, wir hätten zu viel getrunken.

Erst als ich in München bei meinem ersten Versuch, das Abitur nachzuholen, gescheitert war und es in Frankfurt noch einmal und diesmal mit Erfolg versuchte, sahen wir uns wieder und freundeten uns heftig an.

Walter studierte schon Germanistik, um Lehrer zu werden.

Wir gingen beinahe jeden Tag ins Kino. Wenn wir uns stritten, was wir häufig taten (es war, wie ich jetzt weiß, eine Folge unserer unausgelebten Liebe), trafen wir uns bestimmt im nächstgelegenen Kino wieder, saßen plötzlich stumm neben- oder hintereinander und lachten über uns selbst.

Walters Mutter, Tochter einer schlesischen Adelsfamilie, die in sehr unglücklicher Ehe mit Walters starrem Vater gelebt hatte, der ursprünglich Militärarzt gewesen war und nach dem Krieg ein Versorgungsamt in Frankfurt leitete, Walters Mutter, an der er im Gegensatz zum Vater sehr hing, hatte Krebs und lag im Sterben. Er nahm mich einmal zu ihr mit, und ich weiß nur noch, dass eine schmale, bleichgesichtige Frau im Bett lag und nicht mehr sprechen konnte.

Wie sehr bemitleidete ich Walter, der nach ihrem Tod nach Schlesien fuhr, mit ihrer Urne, die im Erbgrab der Familie beigesetzt werden sollte. Ich fand es grotesk, dass er die Urne seiner Mutter wie ein gewöhnliches Gepäckstück herumtrug und dachte, es sei doch ganz gut, nicht so vornehm zu sein, so dass unsere Überreste an jedem Ort verscharrt werden konnten.

Nach dem Tod der Mutter war Walter in Gefahr zu verkommen, er ließ sich gehen. Edgar und ich zerbrachen uns die Köpfe, wie wir ihn retten könnten. Eine ganze Sommernacht lang gingen wir in den Frankfurter Anlagen, wo einstmals der Graben gewesen war und in deren Nähe ich nach dem Krieg viele Jahre zusammen mit Walter wohnen sollte, beratschlagend hin und her und überlegten, was wir zu seiner Rettung am besten unternehmen könnten, was natürlich Unsinn war, man rettet keinen, der Rettung gar nicht will.

Tatsächlich half Walter sich allein, war ein paar Jahre Lehrer im Landschulheim «Schule am Meer» auf der Nordseeinsel Juist, so lange, bis diese Schule von den Nazis geschlossen wurde. Danach ging er nach Berlin, um Schauspielunterricht zu nehmen, kehrte von dort aus nach Frankfurt zurück, wo er zunächst Regieassistent an der Oper unter Felsenstein und Wälterlin wurde.

Von dort aus wechselte er, inzwischen schon Oberspielleiter der Oper, nach Göttingen und Essen, wo er blieb, bis im Herbst 1944 die Theater geschlossen wurden und er, zur Wehrmacht eingezogen, als Funker nach Dänemark kam.

LEBENSGEFÄHRLICH, JÜDIN ZU SEIN

Habe ich gewusst, dass es lebensgefährlich war, Jude oder Jüdin zu sein?

Nein, ich habe es nicht gewusst, so wenig wie meine Eltern oder irgendwer aus unserer Familie.

Hat die kleine, die glückliche Grete irgendwann begriffen, dass sie nicht nur mit einem silbernen Löffel im Mund geboren wurde, sondern dass sie durch ihre Geburt in eine tödliche Falle gelaufen war?

Es hat sehr lange Zeit gedauert, bis sie es begriff, und ich weiß noch nicht sicher, ob sie es heute ganz verstanden hat.

Denn was ist das überhaupt: Jude? Wir lebten wie alle Menschen rings um uns, feierten Weihnachten mit einer mit bunten Kugeln und Lametta geschmückten Riesentanne in Egern. Zu Ostern gab es in Garten und Haus versteckte Schokoladeneier. Fritz war nicht beschnitten (ich habe sehr lange nicht gewusst, was das ist), und bei Mädchen gab es sowieso kein Kennzeichen. Wir gingen weder zur Kirche noch zur Synagoge, sprachen keine Gebete, redeten nicht über Gott, ganz sicher nicht über Jahwe.

Dass der Antisemitismus im Land wuchs, das nahmen wir, versteht sich, zur Kenntnis, wenn es uns selbst auch erst spät betraf.

Ein beliebtes Thema: Wer steht einem näher, ein bayerischer Bauer oder ein Jude aus Polen? Für Mutter, Fritz und mich (bei Vater weiß ich es nicht so genau) war es der bayerische Bauer, schon weil wir nichts, aber auch gar nichts über den Juden aus Polen wussten. An welche Gebräuche hielt er sich? In welcher Sprache redete er mit seinem Gott? Hebräisch? Polnisch? Jiddisch?

In amtlichen Dokumenten, z.B. auf dem Schulbogen, war bei uns als Religion nicht *jüdisch*, sondern *israelitisch* oder *mosaisch* angegeben. Eine Heuchelei. Später sagte man: Ich habe den und den Verwandten in Auschwitz verloren, nicht: er wurde in Auschwitz umgebracht. Verschlampte Sprache. Redensarten wie die Katze um den heißen Brei, dass man sich nicht die Pfoten verbrenne.

Jude, was ist das? Ich habe es als Mädchen nicht gewusst und weiß es heute auch nicht genau.

Eines ist zu der unklaren Definition hinzugekommen: Ich bin Teil einer Gemeinschaft des Leidens, der Schmerzen. Kann ich davon wegkommen? Offensichtlich nicht.

Da gibt es einen Gott Jahwe, mit dem ich nichts anzufangen weiß. Da gibt es ein Land Israel, mit dem ich nichts zu tun habe. Trotzdem bin ich Jüdin. Alle sagen es. Ich sage es selbst, sage es ohne zu zögern. Dabei rede ich doch sonst nicht daher, ohne zu wissen, wovon ich spreche.

Ich bin Jüdin.

Mache ich mir den Maßstab der Nazis zu eigen: vier jüdische Großeltern, acht jüdische Urgroßeltern? Wo gerate ich hin? Eine Rasse? Ein Volk? Eine Gruppe, die immer ein Volk sein wollte und nie eines war.

Man gerät in einen Sumpf, wenn man anfängt, darüber nachzudenken.

Und doch ein gewisser Stolz: Einstein und Freud waren Juden. Marx, Chagall. Als ob ich irgendetwas mit Einstein, Marx, Freud, Chagall zu tun hätte.

Frühe Ablehnungen:

Eine Klassenkameradin, Tochter eines berühmten Internisten mit zahlreichen jüdischen Patienten und Patientinnen, hatte die ganze Klasse zu sich nach Hause eingeladen, die ganze Klasse mit Ausnahme der Jüdinnen. Vielleicht wusste der berühmte Papa ja nichts davon. Ich mochte das Mädchen nicht besonders, trotzdem tat es weh.

Da war also etwas: ein Makel. Zwei oder drei aus meiner Klasse trugen Hakenkreuze, die mich störten, doch man brauchte sie ja nicht auf sich selbst zu beziehen.

Man bezog sie trotzdem auf sich selbst.

Nach dem Kriege traf ich in einem Frankfurter Theater eines der Mädchen wieder. Sie schien ehrlich erfreut, mich zu sehen, besuchte mich, brachte Blumen mit, sehr auf Freundschaft bedacht. Es half nichts, ich brach die Beziehung bald ab, konnte nicht umhin, in dieser erwachsenen, recht reizvollen Frau das Kind mit dem Hakenkreuz zu sehen, das mich kränkte.

Fritz und ich, beide leidenschaftliche Bergsteiger (ich noch etwas leidenschaftlicher als er), wollten der Sektion München des Alpenvereins beitreten (weil es anständiger war, wenn man schon die Hütten benutzte) und wurden ohne Angabe von Gründen abgelehnt. Andere Gründe konnte es nicht geben. Wollte man nicht mit uns in den Hütten zusammen schlafen? Rochen wir anders? Stanken wir? Wir lebten so lange in Deutschland wie die Ablehnenden. Gehörten Goethe, Schiller, Hölderlin, Mozart und Beethoven nicht genauso uns wie ihnen? (Nur kannten wir sie meistens besser).

Wir hatten mit Israel nichts zu tun, außer dass vielleicht vor hunderten oder tausenden von Jahren einer unserer Vorfahren dort gelebt hatte. Doch in welch weit entfernten Gebieten hatten die Vorfahren der anderen damals gelebt?

Edgar wurde in Mauthausen ermordet, weil er Jude war, aus keinem anderen Grund.
Ich weigere mich zu sagen, dass ich ihn in Mauthausen verloren habe. Ich habe ihn nirgendwo verloren. Er wurde dorthin gebracht und ermordet.
Hat Edgar gewusst, was ein Jude ist? Ich glaube nicht,

wir hätten doch darüber gesprochen oder er hätte in einem der beiden hoffnungslosen Briefe, die ich von ihm aus dem verfluchten Ort bekam, eine Andeutung gemacht: Jetzt weiß ich es. Es ist ein Todesurteil. Nimm dich in Acht. Auch du bist bedroht. Ich glaube nicht, dass er dachte, ich sei bedroht. Mit seinem Tod solle ich mich aussöhnen, schrieb er, verdeckt für den Zensor, deutlich für mich. Das schreibt man keiner, die selbst vom Tod bedroht ist.

Manchmal überkommt es mich, und dann bin ich geneigt, gewisse positive Eigenschaften wie hohe Sensibilität oder auch Gerechtigkeitssinn für jüdisch zu halten, obwohl ich genau weiß, dass es überall Sensibilität und Gerechtigkeitssinn gibt, so gut wie unsensible und ungerechte Juden. Auch mit diesem Unterscheidungsmerkmal ist es also nichts. Was ist das: «Jude»?

VOM SCHREIBEN

Warum wollte ich schon als Kind schreiben? Der Wunsch war da, sehr früh, sehr stark, alles andere ausschließend. Ich liebte Bücher, Geschichten, Theaterstücke, Gedichte. Alles von Menschen für Menschen gemacht. Warum sollte ich keinen Anteil daran haben? Doch ich liebte auch Bilder, Plastiken, Musik, ohne je den Wunsch zu haben, so etwas selbst herzustellen. Ich bin nicht geschickt mit den Händen, auch nicht besonders musikalisch. Wusste ich instinktiv: Das kann ich nicht? Mag sein. Aber schon sehr früh beim Schreiben die Sicherheit (manchmal nur eingebildet): Das kann ich. Lange, bevor ich begriff, dass Schreiben mit Sprache zu tun hat. Habe ich vor der Emigration und dem erzwungenen Holländisch-Reden gewusst, wie sehr ich die deutsche Sprache liebe? Mein Material.

War es der Wunsch, Erlebtes mitzuteilen? Nach der Verfolgungszeit das Bedürfnis, davon zu erzählen. Zeuge zu sein. Weil so etwas nie mehr geschehen durfte.

Ganz am Anfang, als ich, die Zwölfjährige schreiben wollte, dachte ich nicht an Veröffentlichung und Leser. Ich tat es für mich.

Ohne das Wissen um die Einsamkeit, in die sich ein Schreibender begibt.

78

Schon damals fing ich an, mir selbst Geschichten zu erzählen. Und ich tue es jetzt, nach mehr als 75 Jahren, noch immer. Wenn ich mitten in einer Unterhaltung verstumme, gefragt werde, ob ich müde sei (was ich jetzt tatsächlich sehr häufig bin), erzähle ich mir oft eine Geschichte.

Es hat nicht unbedingt mit dem zu tun, woran ich gerade schreibe. Manchmal weiche ich, was ich weder im Leben noch im Schreiben je täte, in Sentimentalität aus. Es ist eine stille Erregung, ganz wunschlos, sie irgendjemandem mitzuteilen. Völlig ohne Kenntnis, ob so etwas bei anderen Menschen vorkommt. Die es erleben, schweigen.

Ich habe viele Jahre nicht darüber gesprochen, dass ich schreibe. Es kam mir nicht mitteilenswert vor, über etwas, das so lange erfolglos war, zu reden.

Und Erfolg oder keiner, ich hatte ja noch immer die mir selbst erzählten Geschichten.

Ich weiß noch um die tiefe Zufriedenheit, die mich überkam, als ich mich nach dem Erscheinen von *Meine Schwester Antigone* zum ersten Mal in einem Hotel als Schriftstellerin eintrug. Ich bin keine Fotografin, keine Geschäftsführerin mehr, die ich jahrelang dem Namen und auch dem Pass nach für die pharmazeutische Fabrik war. Ich bin Schriftstellerin. Habe nie etwas anderes sein wollen. Gedachtes in Form zu bringen, das ist es. Das Glück, wenn es gelingt.

Ich erinnere mich nicht an die Zeit, in der ich noch nicht lesen konnte. Als ich es konnte, tat ich es sofort ebenso leidenschaftlich wie wahllos. Ich las Karl May, Felix Dahns *Ein Kampf um Rom* und Schwabs *Schönste Sagen des klassischen Altertums*, ich las *Robinson Crusoe*, aber auch *Trotzkopf* und den *Silbernen Kreuzbund*, eine alberne Mädchengeschichte. Ich liebte *Zäpfelkern* und manche Jugendbücher. Als ich zwölf war, gab Fritz mir Frank Wedekinds *Der Erdgeist* und *Die Büchse der Pandora* zu lesen. Ich war sehr unschuldig und verstand nicht, worum es ging. Auf den Gedanken, dass die Gräfin Deschwitz etwas anderes als mütterliche Gefühle für Lulu hatte, kam ich nicht, und ich glaube daraus schließen zu können, dass Gelesenes Kinder nicht «verdirbt» und die übergroße Vorsicht mancher Eltern völlig unnötig ist. Zu gleicher Zeit las ich Nietzsche, Tolstoi, Dostojewski, Tschechow. Als ich in England war, zum ersten Mal allein und dort sofort eine schwere Halsentzündung bekam, tröstete ich mich mit den *Karamasow*. Die erste Zeit des Untertauchens hätte ich wohl nicht überstanden, wenn an meinem Untertauchort nicht eine große Bibliothek gewesen wäre. Ich las Shakespeare, alle Königsdramen, alle Lustspiele, las manches, was ich früher beiseite geschoben hatte, so den *Grünen Heinrich* und noch einmal die *Wahlverwandtschaften* und *Wilhelm Meisters Lehrjahre*, die *Wanderjahre*, las alles, was mir zwischen die Finger kam und lese es noch. Auch wenn ich eigentlich anderes tun sollte.

Einmal fuhr ich in Skiferien und wollte ein «dickes» Buch mitnehmen. Da fielen mir *Die Falschmünzer* von André Gide in die Hände, einem Autor, den ich damals noch nicht kannte. Es ging mir eines Tages nicht sehr gut, ich ließ die Freunde ohne mich zu einer Tour aufbrechen, als sie am Abend zurückkamen, saß ich mit den *Falschmünzern* noch immer an derselben Stelle. Von allen Büchern der zwanziger Jahre ist mir auch jetzt keines näher als die *Falschmünzer*. Näher sogar als *Der Zauberberg*, obwohl ich Thomas Mann noch immer zu den großen Schriftstellern zähle. Von den Lyrikern waren es Rilke vor allem, Goethe natürlich, Mörike, Platen, ganz spät kam Ingeborg Bachmann dazu. Viele Gedichte weiß ich auswendig, sie sind ein Trost bei den Depressionen des Alters.

MEINE BEZIEHUNG ZU GELD

Unsere Mutter pflegte zur Charakterisierung ihrer Kinder zu erzählen: Wenn sie dem kleinen Fritz eine Mark gebe, damit er sich etwas kaufen könne, komme er mit dem Gekauften und fünfzig Pfennig zurück, die er eilig in seine Sparbüchse stecke.

Gebe sie hingegen der kleinen Grete eine Mark, komme sie zurück und sage, leider habe das, was sie sich gewünscht habe, zwei Mark gekostet, wohl wissend, dass man ihr das Fehlende geben werde.

Fritz kannte schon als Kind die Bedeutung von Geld und wusste, dass man sparsam damit umgehen sollte. Was er bis auf seine letzten Lebensjahre, in denen er sehr großzügig war, auch immer befolgte.

Ich war nie sparsam, vielleicht nur mit Ausnahme der ersten Emigrationsjahre, wo mich die bekannte Emigrantenknauserigkeit überfiel, nur um Gottes willen keine Tasse Kaffee trinken, die man mit Devisen bezahlen musste.

In den Jahren nach dem Ersten Weltkrieg, in denen ich aufwuchs, herrschte Inflation. Besonders schwierig für Menschen in freien Berufen waren die Jahre 1922 und 1923, in denen das Geld jeden Tag an Wert verlor, bis schließlich für einen US-Dollar 4,2 Billionen Papiermark gezahlt werden mussten. Ein Anwalt wie Vater stellte in normalen Zeiten ein- bis zweimal im Jahr Rechnungen aus, bis die Beträge dann eintrafen, verstrich wieder eine ganze Zeit. Das ging natürlich nicht mehr während der Inflation, doch konnte er auch nicht nach jeder Besprechung gleich kassieren, so dass es uns gleich unzähligen anderen finanziell nicht gut ging. Zudem war man darauf angewiesen, von anderen Menschen zu erfahren, welche Waren in welchen Geschäften eventuell noch billiger verkauft wurden.

Mich widerten diese Gespräche an, ich wollte mich über geistige Dinge unterhalten. Wenn die Erwachsenen trotz meiner Proteste nicht aufhörten, über Geld zu reden, brach ich in Tränen aus. Und weinte so lange und heftig, bis sie über etwas anderes redeten. Damit erpresste ich sie, bis mit der Einführung der Reichsmark 1924 die Inflation aufhörte, Vater wieder normal verdiente und niemand mehr gezwungen war, ständig über Geld zu sprechen.

Als ich mit der Schule fertig war, schmerzte es mich, dass ich keine Möglichkeit sah, etwas zu verdienen. Dieser Zustand dauerte ziemlich lange an, wurde zum Trauma. Ich bewarb mich bei Verlagen, bei Theatern, Zeitungsredaktionen und bekam meistens zu hören (wirtschaftlich ging es dem Land noch immer schlecht): «Warum wollen Sie für Geld arbeiten? Ihrem Vater geht es doch gut.» Eine deprimierende Antwort für einen jungen Menschen, der auf eigenen Füßen stehen will. Eine mir bekannte Frau, die eine leitende

Stelle in einem Berliner Theaterverlag hatte, schrieb unter ihre Absage den mich heftig kränkenden Satz: «Schwimmen ist auch ganz schön.» Was hat diese Frau sich gedacht? Oder hat sie, umso schlimmer, gar nicht gedacht?

Die volle Bedeutung des Geldes lernte ich erst in der Emigration kennen, in der ich als Fotografin in Amsterdam zum ersten Mal und gar nicht schlecht verdiente. Ich sah, wenn es sein musste, ging es, und als ich bald nach Ende des Zweiten Weltkrieges beschloss, nach Deutschland zurückzukehren, um Schriftstellerin zu werden, wusste ich, wie entsetzlich schwer, ja, wie fast unmöglich es sein würde, schreibend genug zu verdienen, um zu überleben. Ich wagte es trotzdem, konnte es wagen, denn da gab es die in der Hitlerzeit zwangsweise verkaufte pharmazeutische Fabrik von Edgars Vater. Ich fuhr nach Deutschland mit dem festen Vorsatz, sie zurückzubekommen.

Anderen kam dieser Versuch reichlich absurd vor. Edgars in Kalifornien als Arzt lebender Bruder Hans schrieb damals an seine Mutter: «Ist Grete verrückt geworden, aus dieser Fabrik kann doch nie mehr etwas werden.» Nun, ganz verrückt war ich nicht, wir haben alle, die ganze Familie Weil und ich, viele Jahre von dieser Fabrik gelebt, und nach Paulas und Hansens Tod wurde sie sehr gut verkauft.

Als ich nach Deutschland fuhr, um über die Fabrik zu verhandeln, stand ich vor der heute für manche wieder aktuellen Frage: Rückgabe oder Entschädigung?

Ich entschied mich für die Rückgabe, denn mir war klar, dass eine Auseinandersetzung um sieben oder acht Jahre entgangenen Gewinn ebenso viele Jahre dauern würde, und bis dahin würde es uns sehr schlecht gehen.

Ich habe die Verhandlungen damals gut geführt. Das Verhandeln machte mir Spass. Mein Gegenanwalt sagte mir zum Schluss: «Hoffentlich weiß Ihre Familie, was Sie für sie getan haben.» Sie wusste es nicht, doch Hans und Paula waren so großzügig, mir Edgars Anteil ganz zu überlassen, was nach deutschem Erbrecht nicht selbstverständlich ist.

Auf den Fortbestand der Fabrik zu bauen, damit sie schnell in unseren Besitz zurückkam, war sicher das Gescheiteste, was ich in meinem Leben gemacht habe.

So hatte ich immer genug Geld, um das zu tun, was ich gern tun wollte: große Reisen machen, gute Autos fahren, in anständigen Hotels wohnen, im Alter so viel Taxi fahren wie ich will, mir schließlich an einer der schönsten Stellen im Tessin ein kleines Haus bauen, und last, not least vielen anderen Menschen helfen. Ich war selten mit Menschen befreundet, denen es finanziell gut ging.

Fritz hat oft bedauert, dass mir Geld an sich so wenig Spaß macht, dass es mich langweilt, mich mit steigenden oder fallenden Kursen zu beschäftigen, mich mit Bankmenschen zu besprechen.

Meine Aufgabe war es, das für die Fabrik Erreichbare

zu erkennen, oft gegen den Widerstand der Mitbesitzer, die richtigen Menschen an die richtigen Stellen zu bringen. Und diese Aufgabe habe ich gut erfüllt.

DIE HEIRAT

Die Jahre vergingen. Die Verbindung zwischen Edgar und mir wurde immer enger.

Er hatte schon seinen Doktor gemacht und schwankte noch, ob er, seinem Vater zuliebe, in dessen Arzneimittelfabrik eintreten oder, dem eigenen Wunsch nachgebend, als Dramaturg zum Theater gehen sollte.

Ich studierte noch, nicht Jura, was ich mir ursprünglich, als ich mich entschloss, das Abitur nachzumachen, vorgenommen hatte – eher um mit Fritz in Vaters Kanzlei immer zusammenzuarbeiten, denn aus Interesse an der Jurisprudenz. Ich studierte Germanistik in der vagen Vorstellung, später einmal mit Edgar zusammen einen Verlag aufzumachen.

Ich sagte meinen Eltern, ich wolle unbedingt ein Semester an die Sorbonne gehen. Natürlich wussten sie, dass Edgar auch in Paris sein würde, um für die väterliche Fabrik zu arbeiten. «Immer deine Buben», schimpfte Mutter «die dich davon abhalten werden, einen richtigen Mann kennen zu lernen.» Dabei mochte sie Edgar sehr, Walter vielleicht weniger. «Germanistik an der Sorbonne?» fragte Vater skeptisch, und ich sagte energisch: «Ja, Germanistik an der Sorbonne.»

Wir waren also gemeinsam in Paris, wohnten in verschiedenen Hotels am Rive gauche und machten im

Frühjahr unsere erste gemeinsame Reise an die Côte d'Azur und zwar nach Sanary zwischen Marseille und Toulon gelegen (mir von dem ausgezeichneten Kenner der Küste Klaus Mann empfohlen und später durch die dort versammelten emigrierten Intellektuellen bekannt geworden). Damals ein schöner, verschlafener Fischerhafen mit einem einzigen Hotel, dem sympathischen Hôtel de la Tour in der Ortsmitte. Es war eine herrliche Reise. Wir gingen viel über die windverblasenen Hügel und suchten und fanden die verruchten Etablissements von Marseille und Toulon. Was aber würde dann kommen?

Mir grauste vor einer neuen Auseinandersetzung mit den Eltern wegen «meiner Buben».

«Das ist doch ganz einfach», sagte Edgar, «wir müssen heiraten, dann kann kein Mensch etwas dagegen sagen, wenn wir gemeinsam irgendwohin wollen. Du kannst nur nicht verlangen, dass ich «meine Frau» von dir sage, scheußlich, das klingt, als wärst du mein Besitz.»

«Nun schön», sagte ich, «und einen Hund werden wir auch haben, und weil er unser Silberstreif am Horizont ist, wird er Streifi heißen.»

Das war unsere Verlobung.

Wir beschlossen, dass es niemand wissen sollte außer den Eltern, er müsse es in München den meinen, ich in Frankfurt den seinen sagen. Viel konnten sie nicht dagegen haben.

Trotzdem war es ein Fehler, denn dass sie es erst nach

ihrem Mann erfuhr, hat Paula, meine Schwiegermutter, die künftig für mich wie schon immer für ihre Kinder Mu hieß, mir nie ganz verziehen.

Ich hatte es meinem künftigen Schwiegervater zuerst gesagt, weil ich von ihm den meisten Widerstand fürchtete, ging zu ihm in die Fabrik, setzte mich auf seinen Schreibtisch und sagte: «Edgar und ich wollen heiraten.» – «Ja», sagte er «dagegen habe ich nicht viel. Wir können im nächsten Jahr genauer darüber sprechen.» – «Nicht im nächsten Jahr, wir heiraten im nächsten Monat.» – «Wie meinst du das?»

«Genau wie ich es sage: im nächsten Monat.»

Da war er so sprachlos, dass er nichts mehr dagegen sagte.

DIE COUPONS

Als Vater mich 1926 in England besuchte, begegnete er auch einem entfernten Vetter, der Bankier in London war.

Vater, der vieles richtig erkannte, freilich oft nicht die richtigen Konsequenzen daraus zog, sagte, er sei überzeugt, in Deutschland kämen entweder die Kommunisten oder die Nazis an die Macht, in beiden Fällen wäre es gut, etwas Geld im Ausland zu haben. Er wolle deshalb eine nicht zu große, aber auch nicht zu kleine Summe an den Vetter in London schicken. So weit so gut.

Jahre später, 1932, inzwischen war es durch die Brüningschen Notverordnungen verboten, Geld im Ausland zu haben, kam ich, bevor ich heiratete, zum letzten Mal in den Pfingstferien nach Hause. Fritz holte mich an der Bahn ab, war blass und verstimmt. «Was ist denn los?», fragte ich, als ich im Wagen neben ihm saß, um nach Egern zu fahren. Er antwortete nur. «Es ist alles aus.» Es ging um das Geld, das Vater inzwischen von England in die Schweiz, die er für sicherer hielt, transferiert hatte. Die Coupons der Aktion hatte er, leichtsinnig wie er oft war, im Schreibtisch seiner Kanzlei liegen gelassen, wo sie bei einer Steuerprüfung gefunden worden waren.

Wir kamen nach Egern. Ich hatte Mutter noch nie so fassungslos gesehen. Sie sagte, sie wolle sich umbringen, wir alle müssten uns umbringen. Vater jedoch erklärte, er denke nicht daran, sich umzubringen, von einem Massenselbstmord der Familie halte er nichts, und Mutter verbiete er ganz energisch, sich umzubringen.

Was zu tun sei, wusste freilich auch er nicht.

Nach langer Beratschlagung wurde beschlossen, einen bekannten Steueranwalt aus seinen Pfingstferien zurückkommen zu lassen, was der Arme auch sofort tat, denn Vater war ja ein angesehener Kollege. Aber der Anwalt wusste auch keinen Rat und fand, dass es eine verflixte Situation sei.

Fritz hatte um diese Zeit eine Freundin, seine spätere zweite Frau, das Springerl, eine Wirtstochter aus Kochel, eine kleine, knabenhafte, blonde Frau mit einem großen zupackenden Bauernverstand. Ich kannte sie gut, wir waren auch schon zusammen verreist, aber in den Familienverband war sie, die Freundin, das Verhältnis des Sohnes, auch dies eine damalige Gepflogenheit, noch nicht zugelassen.

Natürlich hatte Fritz ihr die Geschichte erzählt und auch über unsere Ratlosigkeit gesprochen.

«Das ist doch ganz einfach,» hatte sie gesagt, «dein Vater hat sich in England eine Freundin angelacht, und um diese Frau sicherzustellen, das Geld erst nach England, dann in die Schweiz überwiesen.»

Fritz erzählte es uns wieder, der Steueranwalt war entsetzt, Mutter auch, nur Vater meinte: Das sei eine prima Idee.

Wenige Tage später fuhr ich ihn nach München zur Besprechung mit der Steuerbehörde. Ich habe bewundert, mit welcher Gelassenheit er bereit war, den Beamten dieses Märchen aufzutischen. Schließlich hatte er einen sehr guten Namen zu verlieren, und er, der nie eine andere Frau als Mutter angeschaut hatte, musste bekennen, sich in England mit einer Frau eingelassen zu haben. Als er nach ziemlich langer Zeit wieder zu mir ins Auto stieg, war er recht vergnügt und meinte, die Beamten wären froh gewesen, irgendeine Geschichte erzählt zu bekommen, an die sie sich halten konnten. Ob glaubhaft oder nicht. Sie hätten nur gesagt: «Sie haben Glück, dass die Nationalsozialisten noch nicht an der Macht sind», ihm eine milde Steuerstrafe in Aussicht gestellt, jedoch nicht verlangt, dass er das Geld nach Deutschland zurückbringen müsse.

Als Vater fünf Jahre später starb, hatte er ein Testament hinterlassen, das Mutter zur Alleinerbin bestimmte (es musste von Fritz und mir akzeptiert werden) und mir, der Einzigen, die schon im Ausland lebte, als Legat das Geld in der Schweiz vermachte.

Als Mutter 1938 nach Holland emigrierte, ließ ich es sofort als ihr Eigentum überweisen, und sie erhielt damit die Aufenthaltserlaubnis in Holland, die mittellose Emigranten um diese Zeit schon nicht mehr bekamen. Von diesem Geld hat Mutter während des ganzen Krieges und noch darüber hinaus gelebt.

Ich habe diese Geschichte erzählt, um zu zeigen, wie reibungslos alle Geldangelegenheiten in unserer Familie gehandhabt wurden.

Nach dem Krieg, als ich wieder in Deutschland lebte, Fritz noch in England, wohin er Anfang 1938 emigriert war, setzten wir für Mutter, die so etwas immer uns überließ, ein Testament auf, nach dem alles Vermögen in Deutschland mir, alles Vermögen im Ausland Fritz gehören sollte. Wir ließen es von einem holländischen Notar bestätigen, der mich ganz gut kannte und fragte, ob ich den Verstand verloren hätte, denn das Geld im Ausland war mehr als das, was ich in Deutschland zu erwarten hatte. Ich erklärte, dass ich das wisse, doch überzeugt sei, Fritz und ich würden uns nie um Geld streiten und nach Mutters Tod alles redlich teilen.

Der Notar schüttelte den Kopf, so etwas sei ihm in seiner ganzen Praxis noch nicht vorgekommen. Er warne mich dringend, bei Geld höre jeder Familiensinn auf.

Das tat er bei uns nicht, nach Mutters Tod teilten wir genau und sorgfältig.

Wäre ich als Kind gefragt worden, was eine Ehe sei, hätte ich geantwortet: die Verbindung zweier Menschen, die sich nie streiten. So war ich es gewohnt. Die Eltern stritten sich nie, auch wenn sie, was oft vorkam, verschiedener Meinung waren. Sie hatten eine souveräne Art miteinander umzugehen.

Ein Beispiel: Vater war trotz seines Berufes, der ihn bestimmt mit vielen, nicht allzu ehrenhaften Menschen zusammenbrachte, sehr gutgläubig.

Eines Tages erzählte er uns: Heute sei eine Frau zu ihm gekommen, die ihren Namen nicht habe nennen wollen und ihn angefleht habe, ihr zu helfen. Sie hätte Schulden gemacht, von denen ihr Mann nichts wissen dürfe, jetzt müsse sie das Geld zurückzahlen, was sie aber nicht habe. Der Gläubiger bedränge sie so, dass ihr nichts übrig bleibe, als sich das Leben zu nehmen.

Um wie viel es denn gegangen sei, fragten Mutter, Fritz und ich und erwarteten, dass es sich um eine Riesensumme handelte. «Um hundertfünfzig Mark», worauf wir alle drei in lautes Gelächter ausbrachen. «Und die hast du ihr gegeben?» – «Ja, natürlich. Ihr werdet sehen, ich bekomme sie wieder, sie war so voller Dankbarkeit.» – «Und du glaubst das wirklich?» – «Davon bin ich überzeugt.»

Wir hatten wieder einmal viele Gäste zum Tee, saßen um den großen ausgezogenen Esszimmertisch bei Kuchen und belegten Broten, als unser Zimmermädchen mit einem Brief und einem noch eingewickelten Blumenstrauß hereinkam und sagte: «Beides ist für den Herrn Geheimrat abgegeben worden.» Warum schaut das Mädchen so amüsiert drein, dachte ich, es ist doch nichts Komisches dabei, wenn mein Vater Blumen bekommt.

Vater öffnete den Brief, aus dem er drei Fünfzigmarkscheine zog und las vor: «Sehr geehrter Herr Geheimrat, meinen Namen will ich auch heute nicht nennen.

Sie haben mir das Leben gerettet. Ich verbleibe in ewiger Dankbarkeit.»

Vater strahlte, dann kam die Sache ihm wohl merkwürdig vor, er blickte leicht verwirrt umher. Da sagte die O: «Frag doch deine Frau.» Mutter bekannte schnell, dass die hundertfünfzig Mark von ihr stammten, sie die Blumen gekauft und den Brief dem Zimmermädchen diktiert hatte.

Vater war kurz gekränkt, lächelte aber bald wieder und sagte: «Bilde dir nur nicht ein, dass ich dir das Geld wiedergebe, das behalte ich.»

Dabei blieb es. Ich fand überhaupt und habe es ihm auch oft genug gesagt, dass er Mutter viel zu wenig über Geldsachen aufklärte. Sie, die Gescheite, die ihren großen Haushalt meisterte, wusste absolut nichts über Geld, konnte keinen Scheck ausschreiben, war ahnungslos, ob das, was er verdiente, viel oder wenig war und sorgte immer dafür, dass das Haushaltungsgeld irgendwie reichte. Sie war sparsam von Natur aus, dabei aber großzügig.

Es lag wohl an der Zeit, in der die Männer fanden, Frauen bräuchten über Geld nichts zu wissen.

Nach Vaters Tod erledigten Fritz und ich alles Nötige für sie.

DAS ERSTE EHEJAHR

Im Juli 1932 heirateten wir. Ich hatte Edgar zu seinem Geburtstag, den wir ein paar Tage vor unserer Hochzeit feierten, den Hund Streifi geschenkt, einen schönen, jungen Airedaleterrier, der seinen vom Silberstreif hergeleiteten Namen nicht sein ganzes Leben lang mit Recht trug. Als ich ihn nach neun Jahren einschläfern lassen musste (er hatte Krebs), gab es keinen Silberstreif am Horizont und keine Hoffnung mehr.

Wir heirateten auf dem Bürgermeisteramt in Egern. Trauzeugen waren unsere beiden Brüder. Edgars Eltern waren aus Frankfurt gekommen, doch wir wollten kein Fest. Der Tag sollte sein wie jeder andere. Vom Rathaus aus gingen wir schwimmen.

Unsere Köchin Johanna, die schon viele Jahre bei uns war, schlug die Hände über dem Kopf zusammen und erzählte überall herum: «Unsere Grete hat in einem kunstseidenen Sommerkleid geheiratet.» Zunächst wohnten wir in der Münchner Wohnung meiner Eltern, die den Sommer über in Egern blieben.

Edgar war zweiter Dramaturg bei den Münchner Kammerspielen mit einer winzigen Gage, die zudem von dem kurz vor der Pleite stehenden Theater nur unregelmäßig ausbezahlt wurde.

Am Abend des Hochzeitstages fuhren wir mit der Bahn nach München und feierten still mit einem guten Freund in der Regina-Bar.

Wir hatten uns von den Eltern als Hochzeitsgeschenk ein Auto gewünscht, doch Edgars Vater fand das übertrieben und meinte, Edgar solle erst selbst genug verdienen, bevor er sich einen solchen Luxus wie ein Auto leistete.

Seine und meine Eltern gaben uns Geld für den zukünftigen Wagen (mein Vater hätte das Auto sicher gern allein bezahlt, wollte aber keinen Unfrieden und gab klein bei). Als Onkel und Tante in Grainau mir zur Hochzeit ganz unerwartet ein Geldgeschenk machten, kauften wir uns sofort einen gebrauchten Dixiwagen, das war ein kleiner BMW (der Marke bin ich treu geblieben), leuchtend blau wie die Münchner Trambahnen und mit elfenbeinfarbenen Kotflügeln.

Ich studierte jetzt Germanistik in München, allerdings mit der etwas ungewöhnlichen Absicht, in Frankfurt zu promovieren.

Der dortige Professor, den ich mir als Doktorvater ausgesucht hatte, hatte versprochen, mir ungefähr das Gebiet zu nennen, in dem ich im Mittelhochdeutschen geprüft werden würde.

Eine verheiratete Studentin war in jener Zeit etwas ganz Ungewöhnliches. Verheiratete Frauen hatten sich um ihren Haushalt zu kümmern.

Doch waren alle Frankfurter Professoren mit meinem ausgefallenen Wunsch einverstanden.

Meine Dissertation sollte am Beispiel von vierzig Jahrgängen des ersten deutschen Modejournals, das Friedrich Justin Bertuch zur Goethezeit seit 1786 in Weimar herausgab, die gesellschaftliche Entwicklung von der Klassik zum Bürgertum aufzeigen. (Natürlich hatte das Journal nicht bloß Mode, sondern v. a. auch Kulturelles zum Inhalt.)

Weil ich mir die vielen Bände nicht ausleihen und nach Hause mitnehmen konnte, jedoch mich schon immer schwer tat, in den großen, vollen Lesesälen der Bibliotheken konzentriert zu arbeiten, ließ ich mir die Bücher an das Theatermuseum in München kommen, wo ein guter Freund von uns Assistent war. In dem kleinen Lesezimmer war ich fast immer allein und hatte die Ruhe, mich intensiv mit meinem Stoff zu befassen. Ich habe die Dissertation nicht zu Ende geschrieben, denn inzwischen waren die Nazis an die Macht gekommen. Doch als der hilfreiche Freund am Theatermuseum nach dem Krieg selbst Ordinarius geworden war, gab er das von mir liegen gelassene Thema einer seiner Schülerinnen, deren Arbeit ich leider nie zu Gesicht bekommen habe.

Im Herbst zogen wir in eine Pension gegenüber der Akademie, in der wir zwei recht annehmbare Zimmer fanden. Ich arbeitete über Tag im Theatermuseum, abends holte ich Edgar am Bühnenausgang der Kammerspiele ab, wo ich sah, wie die von mir angeschwärmte Schauspielerin Sybille Binder, die gerade die Lola Montez im gleichnamigen Stück des Münchner Autors Josef Ruederer en suite spielte, Abend für Abend mit traurigem Gesicht zu Fuß nach Hause ging, sehr anders, als es sich sicher die meisten Zuschauer vorgestellt hatten. Wenn Edgar (sehr unregelmäßig) kam, fuhren wir meistens in die Regina-Bar, die unser liebster Aufenthaltsort war. Wir tranken mäßig, machten uns nicht viel aus Alkohol, auch fehlte uns das Geld. Wichtig war, dass wir Freunde dort trafen, und ins Bett mochte niemand sofort nach der Aufführung gehen.

Die Zukunft war düster geworden, obwohl man sich immer noch nicht eingestand, wie dunkel sie in Wirklichkeit war, denn die Nazis hatten bei den Wahlen im November 1932 etwas an Stimmen verloren. Zu den Kammerspielen gehörte damals das Volkstheater, an dem populäre Stücke und Singspiele gegeben wurden. Eines Tages hatte Edgar zwei Karten für eine Operette im Gärtnerplatz-Theater. Er sollte sich dort einen Tenor anhören, um festzustellen, ob der sich für eine geplante Inszenierung im Volkstheater eigne.
Wir hatten Karten für die erste Reihe, Lust hinzugehen, hatten wir überhaupt nicht, doch musste es sein. Wir zögerten so lange, dass wir erst am Ende des ersten Aktes kamen, trotzdem eingelassen wurden und uns möglichst leise auf unseren Plätzen niederließen. Den Namen der Operette habe ich vergessen, es war ein Schmarrn, in dem, bei mäßiger Musik, alberne

Charaktere ständig von Kopfabschlagen und Ähnlichem sangen. In der Pause ging, wie damals oft in kleineren Theatern, eine Leinwand nieder, auf der Werbung gezeigt wurde.

Edgar war ins Foyer gegangen, um ein Programm zu kaufen. Ich blieb alleine sitzen, plötzlich hörte ich hinter mir eine gepresste Stimme sagen, laut genug, dass ich es trotz meiner Schwerhörigkeit gut verstehen konnte: «Das mag ich gar nicht, durch die Reklame wird man immer aus aller Illusion gerissen.» Mich zwang dieser Satz, mich umzudrehen, es war zu absurd, sich von diesem seichten Zeug in Illusionen versetzen zu lassen. Als ich den Kopf wandte, sah ich den Sprecher, sein Bärtchen, seine Haarsträhne, seine stechenden Augen. Ich schaute ihn an, blickte in Hitlers Augen. Keinen Meter von mir entfernt. Als ich ihn so aus der Nähe sah, schien er mir nichts als ein Schmierenschauspieler zu sein (als ‹Heiratsschwindler› hatte ihn der große Schauspieler Max Pallenberg bezeichnet), so dass ich draußen Edgar berichtete, auf diesen Clown könne das deutsche Volk nicht hereinfallen, das sei vollkommen unmöglich. Ich war nicht die einzige, die so dachte. Wer hätte ahnen können, dass es richtig gewesen wäre, am nächsten Tag Deutschland zu verlassen? Wer würde so viel Energie, Mut und Weisheit gehabt haben, das zu tun?

So ging unser Leben weiter wie bisher.

Am 27. Januar 1933 hatte Mu Geburtstag. Edgar und

102

ich fuhren nach Frankfurt, um ihn mit ihr zu feiern. Als wir zurückkamen, war die Welt verändert. Ich weiß nicht mehr, wo, wie und durch wen ich erfahren habe, dass am 30. Januar Hitler als Reichskanzler vereidigt worden war. Das eingreifendste, zerstörerischste Ereignis meines Lebens, und ich habe vergessen, habe verdrängt, wie ich es erfuhr.

Jetzt endlich fingen wir an zu begreifen, aber noch blieb im katholischen Bayern alles beim Alten. Würde es sich von dem, was in Berlin geschehen war, absondern können? Sehr unwahrscheinlich. Doch in einer Situation wie der unseren hofft man bis zum Ende und gegen jede Vernunft.

Am Rosenmontag waren wir auf dem Kammerspielball im Regina-Hotel. Edgar tanzte mit einer Bekannten von uns, kam zu mir und sagte: «Ellen ist verrückt geworden, dauernd redet sie davon, dass der Reichstag brenne.»

Wir tanzten weiter, fuhren nach dem Regina ins Luitpold, in dem es keine Sperrstunde gab. In der Morgendämmerung kamen wir nach Hause, am Siegestor kauften wir eine Zeitung und lasen, dass der Reichstag brannte. Da war der Fasching zu Ende, einen Tag zu früh brach im grauen Winter der Aschermittwoch an. Aber noch immer war in Bayern alles anders.

Die Kammerspiele galten damals allgemein als links, ohne es je wirklich zu sein. Der Direktor Otto Falckenberg, großer und poetischer Regisseur, war ein ganz und gar unpolitischer Mensch, der es nie gewagt hät-

103

te, in dieser Zeit ein linkslastiges Stück herauszubringen. Uns ärgerte das. Gemeinsam mit einem jungen Journalisten wollten wir so etwas wie einen Verein gründen, in dem linke Stücke im geschlossenen Kreis vorgelesen werden sollten, und wir hatten als erstes Stück an *Die heilige Johanna der Schlachthöfe* von Brecht gedacht. Doch um der Sache Gewicht zu geben, wollten wir jemanden mit einem Namen dabei haben und schrieben deshalb an den mit uns befreundeten Schriftsteller Bruno Frank, ohne zu wissen, dass er sich sofort nach dem Reichstagsbrand ins Ausland abgesetzt hatte. Unser Brief erreichte ihn in der Emigration. Er schrieb eine ausführliche Antwort, in der er uns auseinandersetzte, warum er von der Sache überhaupt nichts halte, sie sei unnütz und komme viel zu spät.

Nach dem Reichstagsbrand überschlugen sich die Unglücksnachrichten aus Berlin. Doch noch immer hatte die Verhaftungswelle nicht auf Bayern übergegriffen. Ich war mit meinem Schwager Hans schon lange zum Skilaufen verabredet. An dem Tag anfangs März 1933, an dem er kommen sollte, hatten die Nazis durch die Einsetzung eines Reichsstatthalters in Bayern die Macht übernommen. Ich fuhr zum Bahnhof, um Hans abzuholen, als ich den Odeonsplatz überqueren wollte, fand dort gerade die Siegesfeier statt. Natürlich wollte ich nicht wegfahren, während sich in München die Ereignisse überstürzten. Auch hatte ich

Angst um Vater, den die Nazis schließlich schon einmal, während des viel harmloseren Hitler-Putsches, hatten verhaften wollen. An Gefahr für Edgar dachte ich überhaupt nicht. Ich fuhr dann schließlich doch, weil Edgar Angst vor Hansens Reaktion hatte, wenn ich mich wirklich nicht an unsere Verabredung halten würde. Im Silvretta-Gebiet trafen wir meinen Bergführerfreund Willy Wechs. Er brachte noch eine Dame mit, eine Frau Stresemann, Schwägerin des verstorbenen ehemaligen Reichskanzlers und Außenministers. Sie sagte mir: «Wissen Sie eigentlich, dass Wechs ein überzeugter Nazi ist?» Ich wusste es nicht, war erstaunt, bestürzt, konnte aber nicht mit ihm darüber reden.

Ich hatte zu Hause die Namen der Hütten hinterlassen, in denen wir übernachten wollten.

Eines Tages kam ein Tourist herauf und brachte mir ein Telegramm. Es war von Mutter und lautete: «Ehrenwörtlich alles gesund, trotzdem Heimkehr dringend erwünscht.»

Wir fuhren trotz der starken Lawinengefahr sofort zu Tal und nahmen den ersten Zug nach München.

Ich hatte meine Ankunftszeit telegrafiert, Fritz holte mich ab. Da erfuhr ich, dass Edgar verhaftet worden war und bekam als Erstes einen Weinkrampf. Später hörte ich, was geschehen war: Der Direktor der Kammerspiele, Falckenberg, war von den Nazis verhaftet worden, und seine treue, besorgte Sekretärin hatte zu Edgar gesagt, vor allem müsse ein Brief aus Russland aus der Korrespondenz verschwinden, er solle ihr dabei helfen. Zusammen sahen sie die Postmappen durch und fanden auch den Brief eines früheren Mitarbeiters, der schrieb, wie gut es ihm in Russland ginge, wie sehr er sich über einen Besuch Falckenbergs freuen würde.

Als die Sekretärin und Edgar den Brief aus der Mappe nahmen, ging gerade, von ihnen nicht bemerkt, ein Elektriker durch das Zimmer. Edgar steckte den Brief ein, hatte aber kein gutes Gefühl dabei, ihn mit in unsere Pension zu nehmen und brachte ihn deshalb zu meinen Eltern. Später ging er noch zu der großen Schauspielerin Therese Giese, um sie zu warnen. Sie fuhr noch in der selben Nacht nach Zürich.

Als Edgar am nächsten Morgen ins Theater kam, war die Gestapo dort. Die Sekretärin war schon festgenommen worden. Die Gestapoleute interessierten sich vor allem für einen Brief des ersten Dramaturgen Heinrich Fischer, der als Tscheche nach Prag gefahren war und Edgar in einem Schreiben an das Theater bat, ein paar Dinge für ihn zu erledigen. Nach dem Brief aus Russland fragte niemand. Dass Edgar auch den für uns so gefährlichen Brief von Bruno Frank bei sich hatte, erfuhr ich erst viel später.

Auf irgendeine mir unbekannte Weise hörten meine Eltern von Edgars Verhaftung und zerrissen daraufhin den Russlandbrief höchst dilettantisch in unzählige kleine Stücke, anstatt ihn zu verbrennen oder im Klo herunterzuspülen. Am Abend jedoch rief Falckenberg bei ihnen an, um mitzuteilen, man werde ihn freilas-

106

sen, wenn er beweisen könne, dass dieser Brief aus Russland wirklich harmlos sei, sonst müsse er in Haft bleiben. Die ganze Nacht hindurch saßen meine Eltern, um den so gut zerrissenen Brief wieder zusammenzusetzen. Falckenberg kam wirklich frei, auch die Sekretärin und ein gleichfalls verhafteter junger Direktionsassistent. Um Edgars Freilassung bemühten sich viele Menschen, Kollegen von Vater, Angehörige des *Stahlhelms,* des Bunds der Frontsoldaten, aber alles war vergebens. Einen Juden ließen sie so schnell nicht wieder laufen.

Zum ersten Mal war ich wirklich froh, dass wir verheiratet waren. Ich konnte Edgar zwar nicht besuchen, doch ich durfte ihm Lebensmittel und, was wichtiger war, auch Bücher bringen. Außerdem erreichte ich es, dass er von einer Gemeinschaftszelle in eine Einzelzelle verlegt wurde, obwohl die meist älteren Beamten mich für verrückt hielten, als ich darum bat, doch ich wusste, dass er viel lieber allein sein würde. Jeden Tag verbrachte ich viele Stunden im Polizeipräsidium in der Ettstraße, machte mich gut zurecht, trug einen schwarzen Samtmantel, von dem ich wusste, dass er mir gut stand. Viele Nazis, die früher im Gefängnis gesessen hatten, waren inzwischen als Beamte eingestellt worden, und soweit es mein Stolz mir erlaubte, flirtete ich mit ihnen. Außer mir waren viele Arbeiterfrauen in der Ettstraße, die herauszufinden versuchten, wohin man ihre als Kommunisten oder Sozialdemokraten verhafteten Männer gebracht hatte. Einmal sagte ein ganz junger Nazi zu einer Arbeiterfrau, sie solle aufstehen, um mir Platz zu machen. Ich schob ihr den Stuhl wieder hin, der Nazi schien es mir nicht übel zu nehmen.

In diesen Tagen begann ich zu verstehen, was Faschismus wirklich bedeutete. Ich begriff, dass, wenn man einen Menschen vierzehn Tage ohne Anklage, ohne Verhör grundlos festhielt, es auch vierzehn Wochen, vierzehn Monate oder auch vierzehn Jahre sein konnten. Trotz meiner Verzweiflung hatte ich in diesen Tagen nie das Gefühl einer wirklichen Gefahr, das kam erst sehr viel später.

Als alles nichts nützte, hatte meine tatkräftige Mutter einen Einfall. In der Zeitung hatte gestanden, dass Hitlers Pressesprecher Putzi Hanfstengel gesagt habe, bei einer Revolution kämen natürlich immer auch Ungerechtigkeiten vor, die man aber, sobald man von ihnen wisse, sofort wieder gutmachen werde.

Mutter ging zum Telefon, rief Frau Hanfstengel, eine Amerikanerin, die sie nicht kannte, an und sagte, sie habe so einen Fall zu melden. Am nächsten Tag kam Edgar frei, allerdings waren Heinrich Himmler und sein Stellvertreter Heydrich, die damaligen Leiter der Bayerischen Politischen Polizei, gerade in Berlin. Bevor Edgar entlassen wurde, musste er einen Wisch unterschreiben, dass er sich bedroht gefühlt und freiwillig in Schutzhaft begeben habe und dieses wieder tun werde, wenn er sich noch einmal bedroht fühle. Edgar wollte nicht unterschreiben, als man ihm jedoch bedeutete, dann käme er nicht frei, unterschrieb er, freilich musste er sich vorläufig jeden Tag in der Ettstraße melden. Entlassen, ging Edgar über die Straße in Vaters Kanzlei, von dort aus wurde ich angerufen und erwartete ihn, der mit einem Taxi kam, in der Widenmayerstraße. Er stieg aus dem Wagen, und ich fiel in seine Arme. Es war einer der schönsten Momente, wenn nicht überhaupt der allerschönste Augenblick meines Lebens.

Wir wussten jetzt, dass wir Deutschland verlassen mussten, sahen jedoch Schwierigkeiten voraus, wie wir, zwei Germanisten, im Ausland zu Geld kommen sollten, um zu überleben. Ich wäre gern in die Schweiz gegangen wegen der Berge, erkannte aber, dass es sehr schwer sein würde, dort eine Aufenthaltserlaubnis zu bekommen.

Edgar kündigte bei den Kammerspielen, Falckenberg fragte naiv, warum er denn nicht beim Theater bleiben wolle. Es folgte die Zeit der großen Verwirrung, der Ratlosigkeit.

Es ist nicht einfach, das alles so weit Zurückliegende noch einmal aufzuschreiben, sich zurückzuversetzen in den Zustand des Nichtwissens, Nichtbegreifens. Hilfe sind Thomas Manns Tagebücher. Auch hier die Ratlosigkeit, obwohl die ganze Familie schon im Ausland war. Aber was hieß schon Ausland, man musste sich für ein konkretes Land entscheiden, und überall würde es schwierig sein. Wenn dies schon für Thomas Mann galt, wie viel mehr für uns, die Nichtprominenten, die kleinen Leute, auf die man nirgendwo gewartet hatte.

Nachdem die Meldepflicht in der Ettstraße vorbei war (sie hörte ganz plötzlich auf, eines Tages hatte man Edgar gesagt, er brauche am nächsten Morgen nicht mehr zu kommen), zogen wir nach Frankfurt ins Haus meiner Schwiegereltern, was von Übel war. Edgar und mein Schwiegervater, zwei Menschen, die nie miteinander ausgekommen waren, konnten es in dieser Zeit erst recht nicht. Mein Schwiegervater verstand überhaupt nicht, was geschah, wollte weitermachen wie bisher.

Warum sollte er seine schöne, gut gehende Fabrik verkaufen?

Erst als man drohte, seine Arzneimittel aus der Liste der für die Kasse zugelassenen Medikamente zu streichen, fing er an, diesen tödlichen Schlag zu fürchten. Edgar überredete ihn, den Betrieb zu «arisieren», d.h. Arier als Teilhaber einer GmbH mit hereinzunehmen. Hans, der inzwischen seine Ausbildung als Arzt abgeschlossen hatte und bereits in die Schweiz emigriert war, kümmerte sich um nichts.

Edgar reiste in ganz Deutschland herum, um passende Teilhaber zu suchen. Sobald er in Frankfurt war, wurde er wieder ganz zum Kind der Familie, wohnte in seinem alten Zimmer, in dem ein schöner Farbdruck des Knaben mit der roten Weste von Cézanne hing. Ich hingegen hauste ein Stockwerk höher in Hansens Zimmer, der früh in die Schweiz emigriert war, um dort eine Niederlassung des väterlichen Betriebs aufzubauen, was er aber bald aufgab, um als Arzt in die USA auszuwandern. Edgar war viel zu scheu, um die Treppe zu mir heraufzusteigen, wir sahen uns relativ selten, bestimmt kein gutes Fundament für eine junge Ehe.

Mu tobte und warf ihrem Mann vor, der Mörder seiner Kinder zu sein, weil er nichts begriff.

Um an eine Verlegung der Fabrik ins Ausland, z. B. in die Schweiz, überhaupt zu denken, musste man zuerst dafür sorgen, dass die Rezepturen der Präparate in einem Safe in Zürich hinterlegt wurden. Edgar brachte sie in die Schweiz. Der Schlüssel zum Safe wurde dem Schweizer Vertreter der Firma, einem Juden portugiesischer Herkunft mitgegeben, aber der Chauffeur meiner Schwiegereltern, ein gut aussehender Mann, der offensichtlich schon seit langem Nazi war, denunzierte den Schweizer, dem der Schlüssel an der Grenze abgenommen wurde.

Wieder musste Edgar nach Zürich fahren, um in Begleitung eines Gestapomannes den Safe zu öffnen, der Nazi, der offenbar große Schätze erwartet hatte, war bitter enttäuscht, dass sich nur Formeln für Medikamente anstatt Schmuck und Devisen in dem Safe befanden.

Ich konnte das dauernde Hin und Her, das Geschrei und Geschimpfe nicht länger ertragen und fuhr nach Egern zu meinen Eltern, wo niemand herumschrie, niemand ratlos war, obwohl sie es auch nicht leicht

111

hatten. Welcher Arier wollte sich noch durch einen jüdischen Anwalt vertreten lassen? Tatsächlich gab es einige, die treu zu meinem Vater hielten. Zu ihnen gehörten die Besitzer des weltbekannten Feinkostladens Dallmayr.

Doch es reichte nicht, um den bisherigen Lebensstandard beizubehalten. Die Eltern gaben die Wohnung in der Widenmayerstraße auf, zogen ganz nach Egern, wo sie jüdische Bekannte, die kaum mehr irgendwo auf dem Land in einem Hotel oder einer Gastwirtschaft Ferien machen konnten, als *paying guests* aufnahmen.

So ging das erste Jahr meiner Ehe zu Ende, ich war in Egern, Edgar in Frankfurt, wann wir wieder zusammenkommen würden, um gemeinsam auszuwandern, wussten wir nicht.

Erna war elf Jahre älter als ich, groß, schlank, attraktiv, sehr blond, sah sportlich aus, ohne es wirklich zu sein. Ich lernte sie im Sommer 1931 zusammen mit Walter bei einer Einladung zum Kaffee in Tegernsee kennen. Sie trug ein hellgeblümtes Sommerkleid, dessen Oberteil raffiniert zu einem Cape verarbeitet war, erzählte uns, dass sie geschieden sei und als Sekretärin bei einem Rechtsanwalt arbeite. Geld habe sie keines, jedoch sehr viele Freunde. Sie wohne in Frankfurt in einer Mansarde des Hauses, das unserer Gastgeberin gehöre. Wenn ich nach Frankfurt käme, solle ich sie unbedingt besuchen, was ich gerne zusagte.

Auf dem langen Heimweg zu Fuß meinte Walter: «Diese nette Frau wäre doch eine gute Gesellschafterin für Mu.» Mu war, wenn nicht gerade ihre Söhne und deren Freunde da waren, recht vereinsamt. Denn in Gesellschaft mit ihrem Mann ging sie immer noch nicht gern aus. «Ich werde versuchen, die beiden zusammenzubringen», meinte ich ohne viel Hoffnung, bei Mu auf Gegenliebe zu stoßen.

Als ich zu Semesteranfang wieder in Frankfurt war, schlug ich Mu vor, dass sie Erna kennen lernen sollte. «Ach nein», entgegnete sie, «das haben mir schon ein paar andere Leute vorgeschlagen, doch es entstehen nur Verpflichtungen daraus.» Na, dann nicht, dachte ich und rief nun meinerseits Erna an. Sie lud mich zum Abendessen in ihre Mansarde ein. Ich erzählte ihr, dass meine Verwandten (dass sie auch meine künftigen Schwiegereltern waren, verschwieg ich) sich ein Haus im Westend gekauft hätten, dessen Umbau später als angenommen fertig würde, sie aber aus ihrer alten Wohnung zum Kündigungstermin ausziehen müssten und dass die beiden jetzt in einer Pension eine vorübergehende Bleibe suchten, doch noch nichts Passendes gefunden hätten.

«Warum nehmen sie nicht die Wohnung unten im Haus», sagte Erna. «Die Hausbesitzerin, die sie ja kennen, wäre glücklich, wenn sie auf diese Weise etwas verdienen könnte.»

«Ich will es ausrichten», sagte ich, überzeugt, dass mein Vorschlag keinen Erfolg haben würde.

Zu meinem Erstaunen gingen beide, wohl durch die Sucherei mürbe geworden, sogleich darauf ein und mieteten schon am nächsten Tag die Parterrewohnung. So lernte Mu Erna kennen. Es war für beide Frauen ein bedeutsamer Moment. Sie freundeten sich heftig an und trennten sich nie mehr, bis 1970 Mu 86jährig in Kalifornien starb. Erna blieb in ihrem gemeinsamen Haus wohnen.

Erna, trotz ihrer Blondheit Jüdin, emigrierte auch nach Amsterdam, arbeitete durch mein Zutun beim Jüdischen Rat. Ich erinnere mich noch an die erstaunten Blicke der SS-Männer, wenn diese so blonde Frau mit

114

dem Judenstern auf der linken Seite der Brust umher-
ging.

Edgar mochte sie sehr gern, machte auch ein paar kleinere Reisen mit ihr, und ihr Schmerz nach seinem Tod war echt und tief. Gemeinsam mit ihr flüchtete ich aus der Schouwburg, der Sammelstelle für zu deportierende Juden, in der wir beide arbeiteten. Zusammen mit ihr ging ich nach dem Krieg über die grüne Grenze zum ersten Mal wieder nach Deutschland.

Einige Male war ich bei ihr und Mu in Los Angeles, und nach Mus Tod reiste ich mit ihr nach Hawaii und später nach Prag. Unsere Verbindung riss nie ab, bis sie mit 95 Jahren in Beverly Hills starb.

Hans hatte einen gleichaltrigen Schulkameraden, Robert, der auch mit Edgar befreundet war. Er war ein gläubiger Jude und wollte Rabbiner werden.

«Wie kann man mit einem angehenden Rabbiner befreundet sein, es trennen euch doch Welten», fragte ich Edgar.

Das war, bevor ich Robert kennen lernte. Er gehörte zu den seltenen Menschen, die über eine geistige Zärtlichkeit verfügen, und ich war bald von seiner Wärme, seiner Zärtlichkeit gefangen, lud ihn nach Egern ein, wo er vor allem meinem Vater gut gefiel.

Klein, ein bisschen rundlich, hatte er schöne sanfte Augen. Die vielen strengen jüdischen Bräuche befolgte er nur insoweit, als sie ihm vernünftig erschienen. Bemerkenswert war, dass er nie den geringsten Versuch machte, uns zu seinem Glauben zu bekehren. Einmal schenkte er mir ein Buch von Guardini, das einer Kusine von ihm gehörte und in das sie ihren Namen hineingeschrieben hatte. Er bezog ihn ein und schrieb an mich: «Dieses Buch habe ich von (es folgte ihr Name) für Sie, Grete, gestohlen.» So war er eben.

Er hatte eine christliche Freundin, die ganz jung an Brustkrebs erkrankte. Ich war zufällig in Berlin bei ihm, als die Nachricht ihres Todes eintraf und konnte den Weinenden in meinen Armen auffangen.

Als er mit dem Studium fertig war, suchte München gerade einen zweiten oder dritten Rabbiner, der sich auch mit Jugendlichen gut verstehen würde. Vater, der ja nur als Jurist im Gemeindevorstand saß, schlug Robert vor, und nach einiger Zeit wurde er von der Münchner Jüdischen Gemeinde angestellt.

Als er seine Antrittspredigt hielt, war ich zum ersten und letzten Mal als Erwachsene (als Kind bin ich einige Male mit O dort gewesen) in einer Synagoge. Seine Predigt war ein flammender Aufruf zum Sozialismus, der mir und vielen jungen Zuhörern ungemein gut gefiel, während die älteren entrüstet die Köpfe schüttelten. «Das ist ein Jugendverführer», sagten sie, «der uns unsere Kinder wegnimmt.»

Seine Münchner Zeit war nur kurz. Ich weiß nicht, wo er danach hinging, erfuhr aber, dass es ihm gelang, nach Palästina zu entkommen, dass er dort eine junge deutsche Emigrantin heiratete, die auf der Hochzeitsreise, nach einer Unterleibsoperation, starb. Er hat auch diesen Verlust ertragen, war wieder verheiratet, und ich erfuhr durch Freunde, als ich im Sommer 1947 in Zürich war, dass auch er sich gerade dort aufhielt.

MICHELE

Ich hatte nie ein Kind.

Trotzdem habe ich eine Familie, eine über alles geliebte Tochter, einen lieben Schwiegersohn und drei erwachsene Enkelkinder, die ich alle sehr liebe, und sie lieben mich, wie ich glaube und hoffe, auch.

Wie aber kam ich zu meiner Tochter?

Als Walter in Berlin lebte, besuchte ihn Edgar einmal ohne mich, kam zurück und war sehr beeindruckt von einer Freundin Walters namens Gisela, die ebenso schön wie intelligent und gebildet sei und von der er hoffe, dass sie auch mir gefallen werde.

Wir schrieben uns schon, bevor wir uns das erste Mal begegneten. Gisela hatte Walter auf der Nordseeinsel Juist kennen gelernt, wo Walter unterrichtete und sie den Winter gemeinsam mit ihrer dichtenden Freundin Paula Ludwig, deren Sohn auf der Schule war, verbrachte.

Gisela hatte ihrer Schönheit entsprechend einen großen Männerverbrauch und wünschte sich heftig ein Kind. Im Frühjahr 1933 war sie schwanger und überlegte sich, ob sie das Kind austragen sollte.

Sie konnte auf keinen Fall den Namen des Vaters, eines Ausländers, der illegal in Deutschland gelebt hatte, angeben. Es bestand aber die Gefahr, dass ein Kind mit unklarer Vaterschaft als halbjüdisch eingestuft werden würde. Schon 1933 wusste man, dass dies Schwierigkeiten mit sich bringen würde.

Da schlug Walter Gisela vor, sie zu heiraten, damit das dann ehelich geborene Kind zwei einwandfrei «arische» Eltern hätte. Gisela hat später gern behauptet, dieser Schritt sei nie ernst gemeint gewesen. Ich aber bin überzeugt, dass Walter sich wirklich ein Kind wünschte.

Er war sich der Verantwortung natürlich bewusst, hatte kein Geld, keinen Beruf, keine Zukunft und wagte es trotzdem.

Sicher hat er sich die Folgen genau überlegt, auf eine wäre er bestimmt nie gekommen, dass er mich durch seinen noblen Entschluss vor der Vereinsamung im Alter bewahren würde.

Sie heirateten, hatten beide überhaupt kein Geld. Gisela war von einigen Freundinnen ins Tirol zur Entbindung eingeladen worden und ging hochschwanger über die Grenzberge nach Ehrwald. Man musste damals tausend Mark bezahlen, um legal nach Österreich auszureisen.

Dort, in Ehrwald, oder vielmehr in dem größeren Reutte brachte sie im November 1933 eine Tochter zur Welt, die sie Michele nannte.

Der junge Ehemann Walter (sie hatten ja nie daran gedacht, zusammenzubleiben) war Weihnachten bei meinen Eltern in Egern (ich war mit Edgar beim Skilaufen in Davos). Eines Tages rief Gisela ihn an, sie habe sich mit den Freundinnen zerstritten und käme gerne mit ihrem Kind nach Egern. Kurz darauf traf sie ein. Wenig später kam auch ich nach Egern und lernte Gisela und die erst ein paar Wochen alte Michele kennen.

Ich fand Gisela hinreißend, glaubte, nie ein Gesicht gesehen zu haben, dass ich lieber anschaute, und sie mochte mich wohl auch vom ersten Augenblick an. Michele war herzig, jedoch nicht mehr. Wie hätte ich ahnen können, dass dieses winzige Wesen mir in vielen Jahren eine geliebte Tochter sein würde? Ich war Edgars Frau, ahnte nichts von seinem schrecklichen Schicksal und nichts davon, dass ich einmal Walter heiraten und Michele ganz legitim meine Stieftochter werden würde.

Walter war damals, zu Beginn 1934, nur um etwas Geld zu verdienen, Lehrer in einem jüdischen Kinderheim in Egern, eine Beschäftigung, die unter den damaligen Umständen nicht von Dauer sein konnte.

Gisela und Fritz hatten sich inzwischen ineinander verliebt. Fritz hatte gerade zum zweiten Mal geheiratet, das Springerl, eine gescheite Wirtstochter aus Kochel, die zu ihm gestanden hatte, denn es war schon damals nicht leicht, sich mit einem Juden zu verbinden.

Er war über ihren Antrag gerührt, sonst hätte er bestimmt Gisela vorgezogen, die viel eher seinem Niveau entsprach.

Gisela reiste unterdessen mit ihrer Tochter zu einem

Mann nach Brasilien, der sich in Ehrwald in sie verliebt hatte. Die Verbindung ging bald auseinander, die beiden hatten sich zu wenig gekannt, und Gisela kam nach Deutschland zurück, wo sie aber, da sich die Nazis inzwischen fest etabliert hatten, auf keinen Fall bleiben wollte.

Außer Walter hatte sie auf Juist den Pianisten Eduard Zuckmayer kennen gelernt, einen Bruder des Dichters, der auf der Insel als Musiklehrer arbeitete. Inzwischen war Eduard Zuckmayer emigriert, lebte als Leiter der gerade gegründeten Musikhochschule in Ankara. Zu ihm ging Gisela mit dem Kind, das er bald sehr liebte.

Gisela und Walter hatten sich scheiden lassen, aber Zuckmayer und sie konnten nicht heiraten. Es gab Länder, darunter die Türkei, in denen Menschen, die in Deutschland nicht heiraten durften, nicht getraut wurden. Der Halbjude Zuckmayer durfte die «Arierin» Gisela nicht heiraten. Sie holten es nach dem Krieg nach.

Ich sah Gisela und Michele erst einige Jahre nach dem Krieg wieder, im Schwarzwald, wo Walter, mit dem ich inzwischen verheiratet war, ein Theaterseminar für junge Deutsche und Franzosen leitete.

Ich nahm Gisela in meinem kleinen PKW nach Egern mit, vorher brachten wir Michele zu Eduard Zuckmayer nach Oberstdorf, der dort gerade seine Mutter besuchte. Ich lernte Michele auch bei dieser Gelegenheit nur flüchtig kennen. Sie war mittlerweile ein hübsches junges Mädchen, das mit langsamer, bedächtiger Stimme redete. Sie kam auf das Landschulheim Birklehof, doch Gisela hatte ihren alten Plan, mit ihrer Tochter in die USA auszuwandern, nicht aufgegeben. Kurze Zeit hatten sie und Fritz, der inzwischen Witwer war, daran gedacht, zusammenzubleiben, fanden dann aber beide, dass sie zu alt seien und sich zu sehr auseinander gelebt hätten. Ich hätte die Heirat gern gesehen, schon der Gedanke, dass Fritz und ich dann gemeinsam ein Kind betreuen würden, gefiel mir sehr, aber wie gesagt, es wurde nichts daraus.

Gisela und Michele gingen in die USA. Michele verließ Deutschland ungern, aber Gisela war die Stärkere, und Michele gab nach. Doch nach zweieinhalb Jahren beschloss Michele, nach Deutschland zurückzukehren, um Bühnenbildnerin zu werden, und diesmal setzte sie sich durch.

Walter und ich waren mit der Bühnenbildnerin Leni Bauer in Stuttgart befreundet und fragten bei ihr an, ob sie Michele als Schülerin annehmen würde. Als sie bejahte, war es beschlossene Sache, dass Michele zunächst zu uns kommen würde. Ich holte sie vom Zug ab, sie stieg aus, hatte eine rote Rose für mich in der Hand, was mich sehr rührte. Sie blieb eine Zeit lang bei uns in Frankfurt. Wir standen sehr gut zusammen, sie sagte oft: «Du bist eine so gute Mama.» Worauf ich erwiderte: «Bilde dir nur nicht ein, dass ich auch eine gute Großmutter sein werde.» (Ich bin es noch geworden, aber erst als die Kinder erwachsen waren). Doch zunächst brachte ich Michele in Stuttgart unter, wo sehr schwer ein Zimmer zu bekommen war, weil die braven Schwaben noch immer das Gefühl hatten, sagen zu müssen: Pack die Wäsche weg, die Zigeuner kommen, wenn jemand am Theater arbeitete. Schließlich fanden wir ein Zimmer, und ich konnte, ohne mir Sorgen zu machen, nach Frankfurt zurückfahren.

Im Sommer kam Michele zu uns ins Tessin und erzählte, es habe sich ein Fotograf in sie verliebt, und der Arme habe noch nie das Meer gesehen. Im Herbst fuhr ich nach Holland, um Mutter dort abzuholen und nahm Michele und den armen Fotografen mit, damit sie ihm das Meer zeigen konnte. Wenig später waren die beiden verlobt.

Damit hat sich der Kreis geschlossen, von meinem ersten zum dritten Leben, von der Jugend bis in die Nachkriegszeit. Gisela und Walter, der Mann, mit dem wir beide zu unterschiedlichen Zeiten in unserem Leben verheiratet gewesen waren, leben nicht mehr, Michele ist meine Tochter, ihr Mann und ihre drei Kinder und jetzt auch noch ein Enkelkind sind meine Familie.

ZWEITER TEIL

VORSPRUCH

Der Krieg ist seit langem zu Ende. Ich lebe wieder in Deutschland. Fahre ab und zu nach Amsterdam, das ich mittlerweile recht gern habe. Ich freue mich jetzt über den schönen Grundriss der Stadt, darüber, wie sich die Grachten in konzentrischen Kreisen um den Hafen legen, durchschnitten nur vom Bahnhof und den Gleisen, Unding der Jahrhundertwende, ich sehe die alten, großartigen Patrizierhäuser und den darüber gespannten weiten Himmel.

Ich gehe durch eine schöne, eine besetzte Stadt und wäre nicht erstaunt, wenn mir deutsche Soldaten über den Weg liefen, mich nach meinen Papieren fragten.

Die Zeiten der Verfolgung, des Gejagtwerdens haben sich mir tief eingeprägt, wie die Nummern im Arm der Auschwitzhäftlinge. Die Nummern können herausoperiert werden, wenn einer es will. Die meisten wollen es nicht. Für mich bleibt Amsterdam besetzt. Die arme Stadt kann nichts dagegen tun. Ich kann auch nichts dagegen tun. Es ist so.

VERHÄNGNIS AMSTERDAM

Mein Bruder Fritz hat mich 1926 in England abgeholt, wir blieben ein paar Tage in Belgien (in Brüssel wurde ich zwanzig), dann noch kurz in den Niederlanden.

In jedes Land, das mir gefiel – und mir gefielen fast alle –, wollte ich sofort zurückkehren, all das anschauen, was ich beim ersten Mal nicht hatte sehen können. Holland war eine Ausnahme.

Zu flach für mich, zu fremd, die Menschen zu unattraktiv, zu farblos in ihren ewigen Regenmänteln.

Und wenn schon Holland, dann Den Haag, wo eines der herrlichsten Bilder hängt, das ich kenne, an dem ich mich nicht satt sehen kann. Rembrandts: *David und Saul.*

Als die Frage der Emigration sich immer dringlicher stellt, würde ich am liebsten mit Edgar in die Schweiz zu meinen Bergen gehen, aber dort sitzt schon mein Schwager Hans mit einem ähnlichen Plan wie dem unseren. Bevor er als Arzt in die USA wechselt, hat er sich vorgenommen, eine Niederlassung der väterlichen Fabrik in der Schweiz zu gründen. Doch scheint es nicht ratsam zu sein, in einem Land mit einer so mächtigen pharmazeutischen Industrie noch einen weiteren kleinen Arzneimittelbetrieb aufzumachen.

Dass die Emigration nur unter Einbeziehung der pharmazeutischen Fabrik meines Schwiegervaters gelingen kann, ist uns beiden klar.

Alle Blütenträume sind ausgeträumt. Mit dem Schreiben und als Dramaturg kann man als Ausländer in der Emigration nichts verdienen, und verhungern ist nicht sehr schön. Aber auch für einen pharmazeutischen Betrieb braucht man Geld. Mehr als wir besitzen.

Da erklärt uns ein holländischer Geschäftsfreund meines Schwiegervaters, er habe einen reichen Inder an der Hand, der bereit sei, Geld in einen kleinen pharmazeutischen Betrieb zu investieren.

Also Holland, in Dreiteufelsnamen.

Wir fahren hin. Ich mag es noch weniger als beim ersten Besuch. Habe kein Gespür für die Schönheit des weiten Himmels mit den hochgetürmten Wolken, das intensive Licht, die Zuverlässigkeit der Menschen.

Nun, der Geschäftsfreund ist nicht zuverlässig.

Der Inder kommt nicht, das Geld kommt nicht.

Der Geschäftsfreund meint, der Inder sei bestimmt in einem deutschen KZ gelandet.

Wir, zwei junge Menschen, die von nichts eine Ahnung haben, sind verzweifelt. Was aber tun? An den Inder im KZ glauben wir nicht.

Wir beschließen, nach Paris zu fahren, um dort durch einige alte Verbindungen einen neuen Geldgeber aufzutreiben. Wir wohnen recht schön in einem kleinen

Hotel nahe der Place de l'Etoile. Edgar findet einen begüterten Polen, der bereit zu sein scheint, Geld in ein pharmazeutisches Unternehmen zu stecken. Die Verhandlungen dauern endlos, wir sind uns nahezu einig geworden, als mein Schwiegervater in Paris auftaucht und erklärt, er denke nicht daran, einem Fremden und dazu noch einem Ausländer Einblick in seine Geschäftsbücher zu gewähren. Damit ist die Sache geplatzt. Wir müssen weiter suchen.

Da begegnet mein Schwiegervater auf der Straße einem Studienfreund, einem jüdischen Rechtsanwalt aus der Pfalz, Spezialist für Weinpanscherangelegenheiten, der plötzlich erklärt, selbst Interesse an der Sache zu haben. Er sucht eine Emigrationsmöglichkeit und denkt, wenn er – allein oder mit anderen – eine den Deutschen genehme und devisenbringende Zweigniederlassung einer Fabrik im Ausland gründet, werde man möglicherweise die Reichsfluchtsteuer, die immerhin 25 Prozent des Vermögens ausmacht, erlassen, doch will er nirgendwo anders hin als nach Holland gehen, wo die Lebensbedingungen denen in Deutschland ähneln.

Schulz, so heißt der Anwalt, ist ein unangenehmer Mensch, der Edgar in Zukunft das Leben oft schwer macht. Als Krieg droht, setzt er sich, ohne ein Wort zu sagen, nach Amerika ab und lässt Edgar im Stich.

Um Amsterdam komme ich also nach dem kurzen Hoffnungsschimmer Paris nicht herum. Natürlich stimme ich zu, voll Unbehagen, dass dies ein Fehler sein

könnte. Wie groß der Fehler ist, kann ich damals noch nicht erkennen, sonst hätte ich mich gewehrt.

Die Falle ist weit geöffnet, und wir laufen blind und dumm hinein.

Ich fahre noch einmal nach Deutschland zurück, um fotografieren zu lernen, denn ich muss ja Geld verdienen, und dass eine gemeinsame Arbeit für die Fabrik, was wir ein paar Monate lang in Frankfurt versucht haben, nicht gut für uns beide ist, wissen wir. Edgar geht zunächst allein nach Amsterdam, wohnt dort in einer Pension in der Beethovenstraat, bis ich nachkomme.

FOTOGRAFIN

Es ist mir nie im Traum eingefallen, Fotografin zu werden, doch scheint es einer der wenigen Berufe zu sein, mit dem man ohne große Kenntnisse, mit ein bisschen Geschick und offenen Augen sich ernähren kann.

Keine Schule nimmt 1936 mehr Juden auf.

Da gehe ich zu dem Portraitfotografen Wasow nach München, der ein paar Jahre früher Aufnahmen von mir gemacht hat und überrede ihn, mich als Schülerin anzunehmen. Er hat eine sehr tüchtige Assistentin, die später in Berlin eine bekannte Theaterfotografin wird und inzwischen viel genauer als der Meister weiß, was eine Anfängerin alles nicht kennt und kann.

Ganz langsam macht das Fotografieren sogar Spaß.

Es lassen sich nicht viele Menschen mehr fotografieren, die Zeit ist wohl zu aufregend, um an solche Dinge zu denken.

Die Geschäfte gehen schlecht. Da bekommt Wasow, der einst ein Bohemien und wohl auch ziemlich links gewesen ist, von der nazistischen Organisation Todt, deren Gründer Fritz Todt seit 1933 als Generalinspektor für das deutsche Straßenwesen zuständig ist, den Auftrag, den Bau der ersten Reichsautobahn

München-Salzburg zu dokumentieren. Wasow nimmt mich mit, vielmehr lässt er sich von mir im alten Opel meiner Eltern fahren. Zuvor habe ich ihm erklärt, dass ich weder die Hand zum deutschen Gruß heben, noch Heil Hitler sagen werde. Das mit der Hand ist leicht zu bewerkstelligen, ich brauche ja nur etwas in beiden Händen zu tragen, und Heil Hitler sagt zu meiner Freude sowieso niemand.

Wir sollen den Bau der Mangfallbrücke aufnehmen, die sich zwischen Holzkirchen und Weyarn 80 m hoch über den kleinen Fluss schwingt. Wasow ist, wie offenbar auch andere Fotografen, die vor ihm da gewesen sind, nicht schwindelfrei

Der Vorarbeiter klagt darüber, das keiner sich ganz vorne hingetraut hat. So bin ich die Einzige, die sich ganz nach vorn auf den Eisenträger schiebt und zum Gaudi der Arbeiter von dort aus knipst.

Das geht gut, aber etwas später geschieht etwas sehr Unangenehmes. Wir fahren noch etwas weiter, von der Mangfallbrücke zum kleinen Waginger See, wo die Baustelle schon abgegrenzt ist. Von einem winzigen Bauturm aus kann man alles von oben her aufnehmen. Da es dort sehr eng ist, steigt Wasow allein hinauf, und ich gehe unten auf und ab.

Da kommt ein Arbeiter mit einem frechen Gesicht und fragt, was ich hier suche.

Ich sage, dass ich die Assistentin des Fotografen da oben bin und auf ihn warte. Er schaut mich prüfend von oben bis unten an und sagt: «Sind Sie denn überhaupt rein arisch?» Ich: «Nein.» Und er: «Das ist aber interessant.» Mir ist elend zumute, auf der Heimfahrt spreche ich kein Wort mehr und fahre, nachdem ich Wasow abgesetzt habe, sofort zu meinem Bruder in die Kanzlei, um die Geschichte zu erzählen.

Fritz meint, ich müsse es Wasow auf jeden Fall sagen, was ich auch gleich tue. Wasow regt sich schrecklich auf, es steht für ihn ja viel auf dem Spiel, im Grunde ist dieser Auftrag zu jener Zeit seine einzige Einnahmequelle. Er nennt mich immer Frau Doktor und du. Schreit mich verzweifelt an: «Warum hast du nicht gesagt, dass du arisch bist?»

«Weil er mir nicht geglaubt hätte», sage ich ruhiger als ich in Wirklichkeit bin, und tatsächlich hören wir nichts mehr von der Geschichte. Der Arbeiter ist sicher zufrieden, mich erschreckt zu haben, hätte ich gelogen, wäre er wahrscheinlich der Sache nachgegangen.

VORKRIEGS-AMSTERDAM

Ich wohne, als ich 1937 nach Amsterdam komme, zuerst in Edgars Pension. Alles ist fremd, sobald ich die Straße betrete. Ich weine jeden Tag. Die andere Sprache, die fremden Menschen, das flache Land. Sogar die Kühe haben eine andere Farbe als in Bayern.

Fortgewischt alles Erträumte. Jedem Kontakt mit Künstlern und Intellektuellen gehen wir aus dem Wege. Nur nicht schwach werden, sich nicht an einstmal Erhofftes klammern, die Realität annehmen. Erkennen, dass man nicht mitzureden hat, ein Ausgestoßener ist, ein Niemand, unwichtig für die Umgebung. Unwichtig für sich selbst. Das will gelernt sein, mit zusammengebissenen Zähnen: unwichtig für sich selbst zu sein. Man ist ja noch jung, möchte an sich glauben. Aber als was? Als Fotografin und Geschäftsmann? Nicht mehr als Schreibende? Nicht mehr als Dramaturg?

Wir sind noch jung, wissen dabei, dass es die Jüngeren noch schwerer trifft und die Älteren am allerschwersten. Ein schwacher Trost, dass es anderen noch schlechter geht. Und doch wird dieser Trost Jahre hindurch bestehen bleiben und sich in den Deportationsjahren noch verstärken.

Irgendwann mieten wir ein kleines Haus im Vorort

Amstelveen (die Mieten sind billig) zusammen mit Edgars Schulkameraden Herbert, der als Grafiker schon für die Fabrik des Schwiegervaters in Frankfurt gearbeitet hat und von dessen grafischem Talent sich Edgar manche Werbeidee für seine kleine pharmazeutische Firma erhofft, die Halbfabrikate aus Deutschland bezieht und in Holland vertreibt.

Herbert ist Halbjude, ist links, es wäre für ihn gefährlich gewesen, in Deutschland zu bleiben. Er kommt mittellos an, wir helfen ihm in der ersten Zeit. Er hat dies x-fach abgegolten, als er mich später bei sich versteckt. Er ist kein angenehmer Hausgenosse, wir streiten uns oft, ich muss viel schlucken, wenn er hemmungslos Zigaretten und Schokolade, die ich von Mutter geschickt bekommen habe (dies ist auch eine bescheidene Möglichkeit, Geld ins Ausland zu bringen), als sein Eigentum ansieht und ich vor meinem leer geräumten Schrank stehe. Wir haben das Haus so eingeteilt, dass wir uns möglichst wenig in die Quere kommen.

Für meine Arbeit als Fotografin ist es ganz schlecht, so weit außerhalb zu wohnen. Ab und zu bekomme ich einen Auftrag von Bekannten, z.B. eine kleine Fabrik aufzunehmen, doch bin ich unsicher, und das, was ich mache, gefällt mir nicht.

Da höre ich, dass eine in die Niederlande emigrierte Fotografin versucht, ihr gut gehendes Atelier in der Beethovenstraat zu verkaufen, um nach den USA zu gehen (die Gescheite). Ich habe noch ein bisschen eigenes Geld und trete in Verhandlungen ein, die recht bald abgeschlossen sind. Nun bin ich Eigentümerin des *Ateliers Edith Schlesinger*. Den abscheulichen Zusatz *moderne Kunstfotos* behalte ich zunächst bei, um die Kunden nicht abzuschrecken, freilich ohne mir vorzustellen, wie schwer es sein wird, gegen den Schatten dieser guten, so ganz anders gearteten Fotografin anzukämpfen, die, ohne mit der Wimper zu zucken, ihre perfekten Kitschbilder (z.B. Hochzeitsfotos) als Kunst anpreist, während ich nur zu geneigt bin, sofort zuzustimmen, wenn jemandem meine Aufnahmen nicht gefallen.

Wir ziehen also wieder nach Amsterdam-Zuid, in die kleine Wohnung über und neben dem Atelier, diesmal ohne Herbert, der sich in der Stadtmitte etwas Eigenes sucht.

Langsam lernen wir auch mehr Menschen kennen (vor allem natürlich Emigranten), darunter ist Ilse, die in den kommenden Jahren meine beste Freundin wird, eine intelligente, hellwache Berlinerin, die als freie Sekretärin schon viele Kunden hat, unter ihnen auch Thomas und Klaus Mann.

Wir mögen sie beide, und sie mag uns.

Wir sind mit einem Auto, einem offenen Opel-Coupé ausgewandert, verkaufen es aber bald, weil wir uns sagen, entweder eine Urlaubsreise oder einen Wagen, und da fällt bei unserer Südsehnsucht die Entscheidung nicht schwer. Wir fahren nach Positiano, das wir beide heiß lieben, es sind unsere schönsten Ferien.

138

Man kann noch auf der Landstraße hoch über dem Meer nach Sorrento oder Amalfi gehen (heute kann man dort keinen Schritt mehr machen, ohne von den pausenlos vorbeifahrenden Autos an die Wand gedrückt zu werden).

Im Sommer 1937 stirbt mein Vater. Er hatte sich schon seit einigen Monaten nicht wohl gefühlt, mir in seinem letzten Brief geschrieben: Der Zustand werde sich ändern, so oder so. Im August wird er plötzlich schwer krank in eine Klinik nach München gebracht. Es war geplant, dass ich im Herbst noch einmal nach Egern kommen sollte. Fürsorglich wie er ist, hat Vater mir für diese Reise ein Flugticket geschenkt, das ich jetzt benutze, als Mutter mich anruft. Eine Deutschlandreise ist mittlerweile für Emigranten besonders aufregend, weil sie oft an der Grenze zurückgeschickt werden. Aber Mutter hat den Grund meines Kommens und auch die Nummer der Maschine, mit der ich aus Amsterdam abfliege, der Lufthansa durchgegeben, so dass das voll besetzte Flugzeug, in das ich in Frankfurt umsteige, gewartet hat und mich, auf dem Boden sitzend, noch mitnimmt. Tatsächlich bin ich schneller in München als Fritz, der aus Berlin kommt, und treffe Vater gerade noch lebend an.

Kurz nach seinem Tod wird Mutter in Egern der Pass abgenommen (ohne Angabe von Gründen). Die Nazis wollen uns außer Landes haben, versuchen aber gleichzeitig, uns durch ausgeklügelte Schikanen die Auswanderung zu erschweren.

Die passlose Mutter macht mir in den folgenden Monaten natürlich große Sorgen, sie selbst findet es nicht so schlimm, will auch gar nicht auswandern, weil sie das Auswandern für eine Schande hält.

Eines Tages ruft Fritz aus London an, wohin er gegen Ende 1938 emigriert ist und als Syndikus in einer Stahlveredelungsfirma arbeitet, wir hätten Wichtiges zu besprechen, deshalb wolle er kommen. Als er da ist, sagt er, wir müssten etwas unternehmen, um Mutter aus Deutschland herauszuholen. Er erinnert sich, dass ich mir nach Vaters Beisetzung in Amsterdam die Mandeln habe entfernen lassen und meint: «Am besten wäre es, du würdest noch einmal ins Krankenhaus gehen. Wenn wir ein Attest haben, dass du schwer krank bist, bekommt Mutter vielleicht den Pass wieder.» Ich versuche ihm zu erklären, dass kein Krankenhaus mich, gesund wie ich bin, aufnehmen wird. Doch rufe ich den mit uns befreundeten Hausarzt an, um ihm die Sache vorzutragen.

In ein Krankenhaus kann auch er keine Gesunde bringen, doch schreibt er ein Attest, dass ich nach einer Operation lebensgefährlich erkrankt sei und sagt, er kenne den alten Arzt, der die Angehörigen der deutschen Botschaft betreue, der sei ein braver Holländer, bestimmt kein Nazi, er müsse das Attest bestätigen.

Ich habe eben erst das *Atelier Edith Schlesinger* mit drei oder vier Angestellten übernommen. Natürlich muss ich im Bett liegen und kann nur zu der Zeit, wenn der alte Arzt Sprechstunde hat und bestimmt nicht kommt, aufstehen. Es herrscht ein unbeschreibliches Durcheinander in meinem neuen Atelier, und keiner der Angestellten weiß, was er zu tun hat. Irgendwann kommt der Arzt und wird ein Stockwerk höher, wo unsere beiden winzigen Schlafzimmer liegen, zu mir heraufgeführt. Es ist ziemlich dunkel hier oben, er schaut mir in den Hals (bestimmt ohne irgendetwas zu sehen), lässt mich aah sagen, dann unterschreibt er das Attest mit der tödlichen Diagnose und drückt einen Stempel darauf, der besagt, dass er Vertrauensarzt der deutschen Botschaft ist und überreicht es mir.

Ich gebe ihm die zehn Gulden, die er fordert. Bis dahin haben wir holländisch gesprochen, an der Türe dreht er sich noch einmal um und sagt auf Deutsch: «Viel Glück, gnädige Frau.»

Mutter bekommt durch dieses Attest ihren Pass zurück und kann nach Holland reisen. Sie denkt, es sei nur für einen Besuch und nimmt nicht mehr mit als ihr Handgepäck. Doch unsere Mädchen und Fritzens Frau, das Springerl, die noch in Deutschland ist, packen alles für sie ein. Ich muss ihr ganz langsam und vorsichtig beibringen, dass sie nicht mehr zurück kann.

Dass es ein Niemehr war, wussten wir beide nicht. Als

sie nach dem Krieg ein paarmal in München war, bei ihrer Wittelsbacher Prinzessin wohnte und leicht nach Egern hätte fahren können, weigerte sie sich hinzugehen. Sie hatte sicher Recht, es nicht mehr sehen zu wollen. Bei mir war es anders, ich wollte unbedingt wieder hin.

Es war meine Heimat, nach der ich mich zurücksehnte.

1939 emigrieren Edgars Eltern nach Amsterdam. Auch ihnen hatte man die Pässe weggenommen, weil man fand, dass die Verhandlungen mit der großen pharmazeutischen Fabrik, welche den Betrieb des Schwiegervaters für ein Butterbrot kaufen wollte, zu langsam vorangingen. Als der Vertrag unterschrieben war, bekamen sie die Pässe zurück und konnten ausreisen.

Im Frühjahr 1939 ist Walter ein paar Monate bei uns. Er möchte leidenschaftlich gern aus Deutschland fort, weiß jedoch nicht, wie er es anstellen soll. Das Leben in der Emigration ist für einen Nichtjuden manchmal noch schwerer als für Juden, die doch wenigstens in den meisten Ländern von irgendwelchen Komitees Unterstützung empfangen.

Wir beratschlagen hin und her, doch es ist zu wenig, was wir Walter geben könnten, und wir müssen einsehen, dass sich sein Wunsch nicht erfüllen lässt.

Heulend bringe ich ihn an den Zug, heim ins Reich. Kurz darauf treffe ich eine Freundin, der ich meine rotgeweinten Augen erklären möchte, und sage: «Manch-

mal weiß ich nicht, welchen von beiden ich mehr liebe.»

Das ist eine Lüge. Ich weiß sehr genau, dass ich Edgar
mehr liebe. Und doch hat mir der obenhin gesagte
Satz vielleicht das Leben gerettet. Wenn ich nach Edgars Tod völlig verzweifelt war und nicht mehr leben
wollte, war ja immer noch Walter da, der einzige
Mensch, mit dem ich mir ein gemeinsames Leben
vorstellen konnte.

Wir sind im Sommer 1939, dem letzten Friedenssommer, in Crans im Kanton Wallis in den Ferien. Es ist nicht mehr viel Hoffnung auf Frieden vorhanden. Hitler hat überall Erfolg gehabt: Er hat Truppen ins Rheinland einmarschieren lassen, den «Anschluss» Österreichs erreicht, die Abtretung der sudetendeutschen Gebiete durchgesetzt, seine Truppen sind in der Tschechoslowakei einmarschiert, er hat das Protektorat Böhmen und Mähren errichtet, den Bündnispakt mit Italien abgeschlossen. Die Militarisierung und Aufrüstung schreiten voran, man muss annehmen, dass er den Krieg will.

Das wird zur Gewissheit, als Ende August Hitler und Stalin den Nichtangriffspakt zwischen Deutschland und der UdSSR abschließen. Wir wissen, wie leicht das neutrale Holland zu überrennen ist und wollen in der Schweiz bleiben, auch wenn wir sehen, welch große Schwierigkeiten hier auf uns zukämen, da wir weder über eine Aufenthaltserlaubnis, noch über genügend Geld verfügen.

Leider gibt Mutter sich als Werkzeug für Edgars Vater her, uns telefonisch zu überreden, sofort nach Amsterdam zurückzukommen, mit Klischees wie: ein Kapitän verlässt sein sinkendes Schiff nicht – als liege

Edgar an der holländischen Niederlassung so viel wie ihm. Bei einem dieser Gespräche – ich gehe schon nicht mehr ans Telefon – wird Edgar schwach, knallt wütend den Hörer auf die Gabel und sagt zu mir: «Wir fahren zurück.» Ich habe nicht genug Kraft, um zu widersprechen und nicht genug Mut, weil die Schwierigkeiten in der Schweiz mir inzwischen riesig erscheinen.

So fahren wir kurz vor Kriegsausbruch in einem schon verdunkelten Zug durch Frankreich und Belgien in die Niederlande zurück und sagen uns zum Trost: Wenn es wirklich ganz schlimm wird, steht uns noch immer der Fluchtweg nach Westen offen. Von Luftlandetruppen haben wir noch nie etwas gehört und ahnen nicht, dass, als es ernst wird, der Weg nach Westen schon in der ersten Stunde blockiert sein wird.

Kaum sind wir in Holland, sind wir «zu Hause», als Hitlers Truppen Polen überfallen.

Aber noch rührt sich im Westen nichts, obwohl England und Frankreich Deutschland den Krieg erklärt haben. Und doch ist der Winter 1939/1940 einer der schrecklichsten meines Lebens. Angst, ein Gefühl, dass ich kaum gekannt habe, sickert durch alle Ritzen, nimmt mir den Atem, lähmt. Ich habe rasende Angst um Edgar – man glaubt immer noch, dass allein junge Männer gefährdet seien. Ich habe zum ersten und letzten Mal in meinem Leben so schlimme Migräneanfälle, dass ich ein paarmal mitten in einer Aufnahme abbrechen und den Kunden nach Hause schicken muss, weil ich vor Schmerz nichts mehr sehe. Noch etwas kommt hinzu: Wir sind beide leidenschaftliche Pazifisten, jäh gezwungen, den Krieg zu bejahen, weil er uns als einzige Möglichkeit erscheint, den Nationalsozialismus zu überwinden und die Welt wieder lebbar zu machen.

Eines Tages haben wir den Besuch eines sehr netten und gescheiten Österreichers, den uns Freunde auf seinem Weg nach Amerika vorbeigeschickt haben. Dieser Mann erkennt meine Verzweiflung. Beim Abschied an der Wohnungstür nimmt er mich kurz in die Arme und sagt: «Vielleicht ist dieser Krieg für jeden von uns das Ende. Doch das Ende von Hitler ist er ganz gewiss.»

Merkwürdigerweise haben mich seine Worte bis zum Ende oft getröstet. Ob der Österreicher den Krieg überlebt hat, weiß ich nicht. Ich habe nie wieder von ihm gehört.

Es wird nachts oft geschossen. Die holländische Flak feuert auf nicht identifizierte Flugzeuge. Sonst geschieht nichts. So versucht man zu leben, wie man bisher gelebt hat. Nur mit der Angst im Herzen.

Pfingsten 1940 wollen wir verreisen, für zwei oder drei Tage mit Erna auf eine der Holland vorgelagerten Inseln fahren. Unsere kleinen Koffer stehen gepackt in der Diele. In der Nacht vom 9. auf den 10. Mai ist das Schießen anders als zuvor. Wir stehen beide auf. Von unseren hochgelegenen Schlafzimmmern und dem flachen Dach können wir weit sehen. Bis nach Schiphol, dem Flugplatz. Dort brennt es. Doch Genaueres erkennen wir nicht. Und das Schießen hört nicht auf. Wir gehen ein Stockwerk tiefer, wo unser Wohnzimmer und mein Atelier ist. Jetzt wird das Schießen immer heftiger. Mir ist übel, ich mache uns in der Küche Tee. Dann, sehr spät, kommen wir auf die Idee, das Radio einzuschalten, hören: «Englische und französische Flugzeuge sind zu unserer Verteidigung über unserem Land.» Jetzt ist es klar: Die Deutschen haben das neutrale Holland überfallen.

Es beginnen die vier Kriegstage. Die Tage der größten Nähe zwischen Edgar und mir. Wir sind aus unseren Schlafzimmern heruntergezogen, haben die große Couch aus dem Wohnzimmer in die Diele gestellt, weit entfernt von jedem Fenster. Dort liegen wir, lieben uns und lesen uns viele Goethe-Gedichte vor. Das ist ein probates Mittel für diese Gelegenheit, weitab von der Realität, vertreibt Ängste und Grübeleien. Auf die Straße können wir nicht gehen, es ist Ausländern verboten, und wir wollen uns ja auf jeden Fall loyal gegenüber Holland verhalten.

Wenn die Holländer argwöhnen, dass jemand Ausländer ist, lassen sie ihn Scheveningen sagen, was kaum ein Fremder richtig aussprechen kann.

Es kommt niemand. Wir sind allein.

Allein in unserer Not und lieben uns.

Am 14. Mai dürfen ausländische Frauen ihre Wohnungen verlassen. Ich gehe zu Bekannten, Emigranten wie wir. Das holländische Dienstmädchen öffnet mir: «Die Herrschaften sind weg, nach IJmuiden, um von dort nach England zu fliehen. Sie sollten das auch tun.» Als sie mein Zögern bemerkt, nimmt sie meine Hand und sagt beschwörend: «Gehen Sie, gehen Sie.» – «Wir haben keinen Wagen.» – «Nehmen Sie ein Taxi. Das haben die Herrschaften auch getan.» Sie überredet mich. Zu Hause erzähle ich es Edgar. Er ist einverstanden, dass ich mich auf die Suche nach einem Taxi mache. Groß genug muss es sein. Wir sind sechs Personen: Edgars Eltern, Erna, meine Mutter und wir.

Doch die Suche ist vergebens. Kein Taxi will nach IJmuiden fahren. Angeblich liegt die Straße unter Beschuss. (Sie wurde nicht beschossen. Eines der vielen falschen Gerüchte in den Kriegstagen.)

Am Nachmittag ist Ilse kurz da, und wir erzählen von unserer Taxisuche.

Als sie gerade gehen will, meldet das Radio, dass Holland kapituliert hat. Tatsächlich ist Rotterdam durch die Bombardierungen fast ganz zerstört. Und es besteht die Drohung der Deutschen: Wenn ihr nicht kapituliert, machen wir es mit Amsterdam ebenso. Langsam wird es dunkel, da wird an der Haustür geklingelt. Ilse kommt mit dem Aufzug heraufgefahren und sagt etwas atemlos: «Ich habe mit einem befreundeten Paar ein Taxi. Zwei Plätze sind noch frei. Ihr müsst euch rasch entscheiden, ob ihr mitkommt. Warten wollen wir nicht.»

Schnell entscheiden, ob wir gehen, ohne Edgars Eltern, ohne Mutter. Ich sage hastig: «Wir fahren mit.» Mutter wird schon nichts geschehen, ich muss Edgar retten. Schweren Herzens lasse ich Streifi in der Wohnung. Doch ich weiß, dass Anna, meine aus Deutschland stammende Zugehfrau, am nächsten Morgen kommt und den Hund mitnehmen wird. Ich beiße die Zähne zusammen. Edgar.

Wir fahren nach IJmuiden, dem nächstgelegenen Seehafen. Überall im Land verstreut brennen Feuer. Es sieht aus wie wir uns immer den Dreißigjährigen Krieg vorgestellt haben. In Amsterdam brennt der Ölhafen. Gewaltige Flammen schlagen in den wolkenlosen Himmel.

In IJmuiden liegt ein Schiff, ein Kartoffelkahn. Die Bootsleute sagen, ja, sie wollen nach England. Sie sagen das, obwohl sie wissen, dass es nicht gelingen kann. Die Hafenausfahrt ist durch ein versenktes Schiff blockiert. Wir gehen auf das noch völlig leere Boot. Das Taxi haben wir zurückgeschickt.

Allmählich füllt sich das Schiff mit lauter verzweifelten, ratlosen Menschen. Sie wollen nach England und wissen nicht, wie es dort mit ihnen weitergehen soll.

Ich weiß wenigstens, dass Fritz sich freuen wird, wenn wir kommen. Was aber sage ich, wenn er mich nach Mutter fragt? Wird er mir Vorwürfe machen, mich für hartherzig und egoistisch halten? Ich tröste mich damit, dass Fritz optimistischer ist als ich, er wird bestimmt finden, dass einer alten Frau schon nichts geschehen wird. So schlecht kennen wir noch immer den Faschismus.

Wir sitzen am Mast, jeder von uns hat ein fremdes Kind auf dem Schoß. Ich bewundere, beneide Ilse um ihre große Ruhe. Sie braucht um niemanden Angst zu haben. Ich habe auch keine Angst um mich. Denke an das Zitat: «Der Starke ist am mächtigsten allein.» Doch ich bin nicht allein, liebe Edgar mehr als die ganze Welt.

Der Maschinist ist weggegangen, behauptet nach seiner Rückkehr, dass jemand an der Maschine herumgepfuscht habe. Es wird uns immer unheimlicher. Dunkle Gestalten tauchen am Ufer auf. Einer schießt in die Luft, ein anderer ruft zum Boot herüber: «Gebt euer Geld her, sonst lassen wir euch nicht fahren.» Allmählich wird uns klar, dass dieses Boot eine Falle ist. Ich will wieder herunter, bitte Edgar mitzukommen.

Was tun? Wir haben kein Taxi mehr. Auch die anderen Menschen, welche das Boot verlassen, haben fast alle die Taxis nach Hause geschickt. Wir treffen einen Bekannten, einen jungen Mann. Er ist auf dem Fahrrad gekommen und wird am nächsten Tag so lange an der Küste entlangfahren, bis er einen Fischer findet, der ihn nach England bringt, wo er den Krieg überlebt, und noch einmal: «Der Starke ist am mächtigsten allein.»

Wir stehen am Hafen von IJmuiden und haben kein Taxi.

Da greift die nichtjüdische Frau des Paares, das mit

uns gekommen ist, ein. Sie heißt Greet und wird Jahre später eine ganz nahe Freundin von mir.

Sie erspäht ein Taxi mit Amsterdamer Juden, das noch zwei Plätze frei hat. Geht zu den Leuten und sagt befehlend, sie müssten Edgar und mich mitnehmen.

Unwillig stimmen die zu. Doch als die Frau im Taxi hört, wie Edgar und ich ein paar Worte wechseln, schreit sie: «Kommt nicht in Frage, das sind ja Moffen.» (Holländisches Schimpfwort für Deutsche.) Greet und Edgar schieben mich gemeinsam in den Wagen.

Edgar geht noch einmal fort, um unseren Koffer zu holen. Die Frau keift den Fahrer an: «Fahren Sie los, aber sofort.» Jetzt schreie ich, dass er nicht ohne Edgar fahren darf. Der jüdische Mann hat schließlich Mitleid mit mir und befiehlt dem Fahrer zu warten.

So fahren wir zurück, wollen nicht in die Beethovenstraat, die uns als Zentrum der deutschjüdischen Emigration als zu gefährlich erscheint und lassen uns zu Mutter bringen, die eine kleine Wohnung weitab von allem Jüdischen hat. Sie ist perplex, als wir mitten in der Nacht vor ihr stehen, richtet uns aber schnell ein Bett.

In dieser Nacht haben sich viele Menschen in Holland das Leben genommen. Ich bin nicht so mutig und liege die ganze Zeit neben Edgar in einem Stupor. Nichts auf der Welt hätte mich bewegen können aufzustehen. Erst am Morgen löst sich der Krampf. Am Nachmittag gehe ich allein in unsere Wohnung.

Es ist schwer, in einer modernen Etagenwohnung mit Zentralheizung etwas zu verbrennen. Zum Glück habe ich noch einen Blecheimer und fange an, alles, was mir als gefährlich erscheint, zu verbrennen. Alle Nummern von *Tagebuch, Weltbühne, Sammlung* und *Maß und Wert*, Briefe von Bruno Frank, Klaus Mann, Max Mohr, Konrad Heiden, die wir in der Emigration erhalten haben. Da ich nicht fertig werde, verbrenne ich am nächsten Tag weiter, völlig naiv und noch immer im Glauben, es genüge den Nazis nicht, dass jemand Jude ist, um ihn festzunehmen und umzubringen, es müssten auch noch andere, belastende Dinge hinzukommen.

Außer den Selbstmorden ist in der ersten Nacht nicht viel geschehen, es geschieht auch weiterhin sehr lange nichts. Es dauert Monate, bis es uns voll trifft.

Das holländische Volk ist in den ersten Tagen nach der Kapitulation unzufrieden mit seiner Königin, die mit der ganzen Familie (und der Regierung) nach England geflohen ist. Außerdem finden die Menschen, dass unsere, die Erzählungen der Emigranten über die Nazis weit übertrieben seien.

Es sind meist ältere Männer, die in Amsterdam einrücken, freundliche, hilfsbereite Soldaten, die den Kindern Bonbons und Schokolade schenken und sich rundum anständig benehmen. Das ändert sich erst, als an Stelle der deutschen Militärverwaltung Seyß-Inquart gegen Ende Mai als Reichskommissar nach

Den Haag kommt, die zivile Verwaltung aufbaut und bald die ersten judenfeindlichen Gesetze erlässt.

Als allererstes wird das Schächten verboten, kein Jude darf beim Luftschutz sein. Edgar ist dabei, muss ausscheiden. Das ist nicht weiter schlimm.

Sodann darf kein Jude mehr Blut spenden, um das wertvolle germanische nicht zu verderben. Im Herbst tauchen in den Restaurants und den Cafés Schilder auf: «Juden nicht erwünscht.» Im Januar 1941 werden alle Juden namentlich erfasst, in den neuen Personalausweisen erhalten sie den Stempel ‹J›, jüdische Geschäfte müssen gekennzeichnet werden.

Ungefähr um diese Zeit kommen zwei deutsche Soldaten zu uns und wollen fotografiert werden. Meine pausbäckige, blonde holländische Assistentin sagt, das gehe nicht, weil wir ein jüdisches Atelier seien. Die beiden sagen, dass sie das nicht störe, sie wollten ja nichts anderes, als ein paar Fotos nach Hause schicken.

So fotografiere ich sie, werde aber drei Tage später zur Gestapo bestellt. Dort schreit mich dreißig Minuten ein bulliger Mann an, ganz, als hätte ich gesagt, ich tue es trotz des Verbots. (Natürlich habe ich mich gleich am Anfang entschuldigt und gesagt, dass ich so etwas Entsetzliches nicht mehr tun werde). Nachdem er mich lange genug angeschrien hat, lässt er mich gehen.

Im Herbst 1940 wird das erste wirklich einschneidende Gesetz erlassen. Alle holländischen Beamten müssen ihren Ariernachweis erbringen. Die meisten tun es eilfertig. Einige wenige denken am nächsten Tag: Um Gottes willen, was habe ich getan? Das bedeutet ja das Aus für alle jüdischen Kollegen. Doch da ist es bereits zu spät.

Wieder sind wir Ausgestoßene. Ende Februar 1941 werden alle jüdischen Beamten – über 2000 Personen – entlassen, auch die Postboten und natürlich alle jüdischen Hochschullehrer.

Doch noch ahnt keiner die furchtbare Wahrheit. Dass wir alle, samt und sonders Todgeweihte sind.

Ebenfalls im Februar kommt es zu Ausschreitungen im alten, durch Rembrandt weltbekannten Judenviertel Amsterdams, holländische Nazis haben sie provoziert, jüdische Selbstschutzorganisationen sich gewehrt.

Es wird an vielen Stellen gekämpft, ein holländischer Wehrabteilungs-Mann bleibt schwer verletzt auf der Strecke und stirbt am nächsten Tag, ein deutscher Polizist wird in Amsterdam-Zuid verwundet. Genau das, was die Nazis brauchen. Jetzt greifen sie ein, nehmen 425 junge jüdische Männer fest, die, wie sie bekanntgeben, in ein Arbeitslager kommen. Das ist eine Lüge, sie kommen nach Buchenwald ins KZ.

Doch die brutale Festnahme und Verschickung der jungen Juden reicht aus, dass Tage später, zuerst in Amsterdam, danach fast in ganz Holland, ein Generalstreik ausbricht. Die Deutschen sind erstaunt, doch unternehmen sie nicht viel. Nach einigen Tagen bricht der Streik zusammen. (Noch heute wird in Holland der Generalstreik als der Beginn des Widerstandes gefeiert.)

Für uns ist es ein neues, ergreifendes, beruhigendes Erlebnis, dass ein ganzes Volk unserethalben sich mit einem mächtigen Feind anlegt.

Zu Pfingsten 1941 fahren wir noch einmal für ein paar Ferientage fort, nach Südholland. Von dort aus rufe ich Mutter an, die Streifi bei sich hat. Sie sagt mir, der Hund sei sehr krank, der Arzt sei dafür, ihn einzuschläfern. Ich gebe ihr die Erlaubnis dazu, nicht wissend, wie bald ich den Hund brauchen würde, um meinen Kopf in seinem Fell zu bergen.

Wir kommen zurück, besuchen Bekannte, von denen wir hören, es gehe das Gerücht um, dass demnächst in Amsterdam-Zuid, unserem Viertel, eine Razzia durchgeführt werde, weil hier in einem von Deutschen besetzten Haus angeblich eine Explosion stattgefunden habe. Das Gerücht über die Razzia kann stimmen oder auch nicht. Immerhin räumen wir Edgars Sachen in mein Zimmer, um sagen zu können, er sei nicht da, sei weggefahren, was zu dieser Zeit noch erlaubt ist, später nicht mehr. Und wir erzählen einer guten Bekannten von dem Gerücht.

Es kommt der 11. Juni 1941, ein strahlend schöner Frühsommertag.

Edgar fährt nach Rotterdam, um sich auf der kubanischen Botschaft sein Visum zu holen. Ich habe das meine schon, Fritz hat sie in London für uns besorgt, auch jenes für Mutter, in der Hoffnung, dass wir später über Kuba in die USA einwandern können.

Gegen Abend, Edgar ist zurück und Mutter auch, ruft die Bekannte an und sagt: «Das, wovon ihr mir erzählt habt, ist jetzt im Gang.» Ich: «So, auf der Straße?» Sie: «Nicht auf der Straße, die gehen mit Listen von Haus zu Haus und holen die Jungens heraus.» Ich: «Und du weißt, dass nichts auf der Straße ist?» Sie: «Nein, nichts auf der Straße.»

Diese Frau ist nicht sehr intelligent, vielleicht auch nicht sehr verantwortungsbewusst, trotzdem erzähle ich es Edgar. Müde sagt er: «Dann muss ich wohl gehen.» Ich sage nicht Ja, nicht Nein, bin wie gelähmt. Er hat zwei Adressen von arischen Holländern, bei denen er sich jederzeit verstecken kann.

Dann kommt der Augenblick, in dem er fortgeht. Er sagt noch, dass er anrufen wird, wenn er an einer der beiden Adressen angekommen ist.

Wir umarmen uns kurz.

Das Warten beginnt. Kein Anruf kommt. Nur eine Freundin will mir am Telefon erzählen, dass sie Edgar, gleich an der Ecke bei uns, mit zwei merkwürdig aussehenden Männern hat stehen sehen. Doch ich lasse sie nicht ausreden, weil ich ja auf seinen Anruf warte. Hätte ich sie ausreden lassen, bräuchte ich nicht mehr zu warten. Nach einer halben Stunde ist mir klar, dass Edgar der Gestapo in die Hände gelaufen sein muss.

Man gebe mir eine Fackel, dass ich die Welt anzünden kann, die ganze Welt soll brennen.

Ich stehe am Fenster, schaue hinaus in den silbernen Abend und sage: «Ich wollte, es wäre schon alles vorbei.» Es ist nicht meine Stimme, es ist mir, als habe ein anderer Mensch diesen Satz gesagt. Mutter kommt zu mir, will mich streicheln, ich schreie, als hätte sie mich geschlagen.

Einmal habe ich geschrieben, dass ich eine Zeugin des Schmerzes bin. In diesem Augenblick ergreift er von mir Besitz und wird nicht mehr vergehen, mein Leben lang.

Ich versuche noch einmal, ihm auszuweichen, doch er lässt sich nicht abschütteln, nicht umgehen, ich muss hindurch.

Die Tage vergehen. Keine Mitteilung. Nichts. In der Zwischenzeit hat sich herumgesprochen, dass 300 junge Männer unter dreißig Jahren als Geiseln festgenommen und in ein Lager in Holland gekommen sind.

300 mussten es sein, aber da noch einige fehlten, wurden sie auf der Straße festgenommen. Edgar ist zweiunddreißig.

Ich bekomme zwei Kassiber, die er einem aus Versehen mitgenommenen und wieder freigelassenen Halbjuden mitgegeben hat. Er schreibt, dass es ihm sehr gut gehe und dass er es genieße, mit so vielen Jüngeren zusammen und ihnen eine Hilfe sein zu können.

Der Überbringer der Kassiber, der sich mit Edgar angefreundet hat, meint, mit sehr viel Geld sei vielleicht

etwas zu erreichen. Ich habe nicht sehr viel Geld. Niemand von uns hat es.

Edgar hat in seiner kleinen Firma einen von den Nazis eingesetzten, deutschen Geschäftsführer, zu dem fahre ich nach Den Haag, um ihn zu beschwören, etwas für Edgar bei der Gestapo zu unternehmen. Ich habe das Gespräch in *Meine Schwester Antigone* ziemlich wortgetreu aufgezeichnet. Der Mann ist wohlerzogen, höflich, aber er sieht den Ernst der Lage nicht und ist zu feige, um mehr zu tun, als einen halbherzigen Brief an die Gestapo zu schreiben.

Ich schlafe nicht mehr, will nicht schlafen, weil ich Angst vor dem Aufwachen habe.

Dann kommt der letzte Kassiber, darin schreibt Edgar, dass er aus Holland abtransportiert werde.

Jetzt weiß ich: Es ist nichts mehr zu machen.

Wie wenig zu machen ist, begreife ich freilich noch nicht. Sehr bald schon, in den nächsten Tagen, treffen beim Jüdischen Rat, der im Februar auf Geheiß der Besatzungsbehörden gegründet worden ist, die ersten Todesnachrichten ein. Erst zehn, dann fünfzehn, dann zwanzig.

Jeden Tag einige mehr. Es ist eine geschickt ausgedachte Folter, alles nicht zu begreifen. Aber woran sind die Toten gestorben? Und wo?

Am 1. Juli 1941 kommt eine vorgedruckte Postkarte, mit zittriger Schrift ausgefüllt, dass Edgar sich im KZ Mauthausen befindet. Kaum einer hat bis jetzt diesen

Namen gehört, der bald in allen Entsetzen auslösen wird.

Es erreichen mich noch zwei tieftraurige Briefe aus dem verfluchten Ort.

Im ersten Brief schreibt Edgar, dass er noch Schulden in Höhe von 300 Gulden an Vater Streif habe, die ich bezahlen solle. Ein winziger Hoffnungsschimmer: Edgar erhofft sich irgendeine Erleichterung zu verschaffen. Im nächsten Brief steht, dass der alte Streif das Geld nicht mehr brauche.

Auch die im Februar festgenommenen Juden sind von Buchenwald aus nach Mauthausen gebracht worden. Ende September ist keiner mehr am Leben.

Ich habe mir gleich nach Edgars Verhaftung genug Schlafmittel besorgt, um mich davonmachen zu können. Als ich Anfang Oktober die Todesnachricht bekomme, nehme ich sie nicht.

Ich kann Mutter nicht das antun, was mir gerade angetan worden ist. Ich kann auch nicht *Romeo und Julia* spielen, ich habe ihn ja nicht tot gesehen, wer weiß, vielleicht – und das glauben die meisten holländischen Eltern, die Söhne dabei haben – sind die Todesmeldungen ja nur sadistische Erfindungen der Gestapo.

Ich zweifle keinen Augenblick daran, dass sie wahr sind und überlasse mich ganz der Trauer.

Ich habe mich mit einem Emigrantenehepaar angefreundet, dessen Sohn nach Mauthausen gebracht worden ist. Der Mann hat einen deutschen Geschäftsfreund, der irgendeinen Posten bei der Gestapo oder der *SS* hat. Der hat eine Freundin, die eines Abends meinen Freunden erzählt, die Jungen hätten es schwer, sehr schwer, müssten in einem Steinbruch Steine brechen und sie nach oben ins Lager schleppen, und dabei fänden viele den Tod.

Am nächsten Abend kommt der Geschäftsfreund allein, entschuldigt sich: An dem, was seine Freundin erzählt habe, sei kein wahres Wort.

Von diesem Moment an wissen wir drei Menschen, was Mauthausen bedeutet.

Gleich, nachdem Edgars Todesnachricht eingetroffen ist, besucht mich Walter. Es ist ein schwerer Gang für ihn, er ist mitfühlend, hilflos.

Wir gehen nicht mehr zusammen auf die Straße, es könnte zu gefährlich für ihn sein.

Irgendwann sage ich schluchzend: «Ich kann nicht allein leben.» – «Das brauchst du ja auch nicht», entgegnet er. «Einmal wird auch dieser Krieg zu Ende sein, dann bleiben wir zusammen.»

Diese Worte als schwacher Trost für eine Verzweifelte von einem jungen, im Soldatenalter stehenden Deutschen an eine Jüdin im besetzten Amsterdam, in dem die Deportationen noch nicht einmal angelaufen sind, diese Worte, die wir beide ernst genommen haben, wurden, so unwahrscheinlich es ist, Wirklichkeit.

ANFANG DER DEPORTATION

Und wieder ist ein Jahr vergangen. Im Juni 1942 ist der Judenstern eingeführt worden, den man bei jeder Gelegenheit in der Öffentlichkeit tragen muss, sogar auf dem Balkon oder am offenen Fenster. Die ersten «Säuberungen» beginnen. Ich lebe noch, obwohl es mehr ein Vegetieren ist. Sich auflösen in Schmerz. Noch immer hält man es für ein schreckliches Einzelschicksal. Ich muss es hinnehmen, die Tränen zurückdrängen, wenn ich einem jungen Paar begegne. Und aufpassen, dass ich selbst am Leben bleibe. Der Widerstand, die große Aufgabe.

Es ist Sonntag, der 5. Juli 1942. Ich bin bei Mutter zum Mittagessen eingeladen. Essen muss ich wohl, ich schlafe ja auch wieder, es gehört zum Leben. Auch Lachen. Ja, ich lache zuweilen, obwohl ich es kaum begreife. Ich bin also an diesem Sonntag bei Mutter, als eine Freundin anruft, eine «arische» Holländerin, ob ich sofort in die Beethovenstraat kommen und ein Passbild eines Freundes von ihr machen könne, es müsse noch am Nachmittag fertig sein. Ich gehe natürlich schnell nach Hause. Mein Kunde ist schon da, ein junger deutscher Jude, der einen Aufruf bekommen hat, er habe sich zum «Arbeitseinsatz unter polizeilicher Aufsicht» nach Deutschland zu melden, an dem und dem Tag an der Centraalstation, dürfe das und das mitnehmen: einen Rucksack, zwei Wolldecken, Arbeitsstiefel, die Lebensmittelkarte usw. Deshalb will er am Abend versuchen, über Belgien zu fliehen. Einen gefälschten Pass hat er schon, dazu braucht er jetzt noch das Foto. Nachdem es fertig ist, gehe ich zu Mutter zurück.

Als ich am Abend nach Hause komme, erfahre ich, dass die Polizei da gewesen ist. Zum besseren Verständnis: In Holland ist jede Frau unter ihrem Mädchennamen beim Einwohnermeldeamt registriert. Ich weiß schon lange, dass bei mir an Stelle des s ein o steht, ich also nicht Dispeker, sondern angeblich Diopeker heiße. Da ich in diesen Dingen schlampig bin, habe ich es nie ändern lassen. An der Haustüre steht natürlich Edgars Name: Weil. Einige holländische Polizisten sind am Nachmittag da gewesen, um eine Frau Diopeker zu finden. Fragten im Hause herum, doch niemand kannte die Gesuchte. Irgendwer kommt später auf die Idee, dass ich das wohl sein muss, da alle Mutter kennen. Doch da hat sich schon herumgesprochen, was die Polizisten wollen. Mir den gleichen Aufruf zum Arbeitseinsatz in Deutschland bringen, den an diesem Tag die meisten Emigranten unter vierzig Jahren erhalten haben. Wie eine geschlossene Phalanx sagen daher die braven holländischen Hausbewohner, als die Polizisten zurückkommen: Wir kennen niemanden, der Diopeker heißt.

Hätte ich den Aufruf an diesem Tage bekommen, wäre ich vielleicht gegangen. Ich will ja, dass jemand mir hilft zu sterben, und ich habe das (richtige) Gefühl, dass mir dieser sogenannte Arbeitseinsatz dazu verhelfen würde. Außerdem ist immer noch ein Rest Abenteuerlust in mir, und ich fühle mich stark genug, alle Gefahren zu überstehen: Eine Gaskammer übersteht auch der Stärkste nicht, aber davon weiß man zu dieser Zeit noch nichts.

Der Aufruf kommt erst einige Tage später bei mir an, und da sind meine Überlegungen weit genug gediehen: Ich werde ihnen auf keinen Fall freiwillig in die Hände laufen, werde – dies ein letzter Widerstand – um mein Leben kämpfen.

DER ÜBERLEBENSKAMPF

Da ich mich jetzt entschlossen habe, ums Überleben zu kämpfen, gehe ich zum Jüdischen Rat. Ich tue es nicht gern, denn der Jüdische Rat ist auf Geheiß der Besatzungsbehörde gebildet worden, arbeitet mit ihr zusammen und versucht doch, Juden zu helfen. Mir wäre wohler, ich wäre nicht dabei gewesen, wenn ich mir auch nichts vorzuwerfen habe, im Gegenteil, es ist mir gelungen, ein paar Erwachsene (durch Überreden, doch noch unterzutauchen) und viele Kinder (durch Überreden der Eltern, sie in christliche Familien zu geben) zu retten. Über den Jüdischen Rat habe ich in *Meine Schwester Antigone* so ausführlich berichtet, dass ich es hier nicht noch einmal tun werde. Für mich bedeutet er vorläufig die Rettung, denn die Mitglieder des Jüdischen Rats erhalten einen Stempel in den Personalausweis mit dem großen roten ‹J›, dass sie bis auf weiteres vom Arbeitseinsatz in Deutschland freigestellt sind. Den gleichen Stempel bekommt auch Mutter als die Person, die mich versorgt. Länger als bis «auf weiteres» kann und will ohnehin niemand denken.

Meine erste Aufgabe ist es, in einem großen Saal Menschen, die deportiert werden, zu fotografieren. Es sind fast ausnahmslos holländische Juden, viele Arbeiter unter ihnen. Sie erhalten eine Nummer auf der Brust, wie bei Fahndungsfotos. Wozu die Fotos gebraucht werden, weiß kein Mensch, nach ein paar Wochen verzichten die Deutschen darauf.

Ich werde versetzt. Ilse, die hellwache Berlinerin, mit der ich seit meinem Umzug in die Beethovenstraat befreundet bin, hat sich als Sekretärin des Personalchefs, einer der wichtigsten Abteilungen des Jüdischen Rates, anstellen lassen und hält ihre Hand schützend über mich. Ich komme in die Schouwburg, ein altes, heruntergekommenes Theater, in das alle aus ihren Wohnungen geholten und auf der Straße aufgegriffenen Juden gebracht werden und wo sie bleiben, manche nur ein paar Stunden, andere tage- und wochenlang, bis sie in das holländische Lager Westerbork gebracht werden, von wo aus jede Woche ein Transport mit in Viehwagen gepferchten Menschen nach Osten, das heißt nach Auschwitz oder Sobibór, geht.

Ich habe mich zum Nachtdienst gemeldet, denn meistens werden die Menschen nachts aus ihren Wohnungen geholt, und solange ich da bin, besteht eine kleine Möglichkeit, Mutter frei zu bekommen, sollte sie geholt werden. Als ich das erste Mal am Abend in die Schouwburg radele, mit einer kleinen blauen, nicht sehr hellen Lampe am Rad durch die völlig verdunkelte Stadt, vorbei an den Grachten, die kein Geländer haben, laufen mir vor Anstrengung die Tränen herunter. Es riecht nach Wasser, das ich nicht sehe, doch in das ich vielleicht falle. Aber schon am nächsten Abend geht es besser, und nach ein paar Tagen bin ich völlig daran gewöhnt.

In der Schouwburg sitze ich vor meiner kleinen grünen Remington-Schreibmaschine und tippe die halbe oder auch die ganze Nacht Briefe der Geholten an Bekannte und Freunde, Bitten um Dinge, die man in der Eile nicht mitgenommen oder vergessen hat, wichtige – oder vermeintlich wichtige, da in Wahrheit überhaupt nichts wichtig ist, weil es sich ja um eine Reise in den Tod handelt, was manche ahnen, doch keiner weiß – oder ganz unwichtige wie Sofakissen, Tischdecken und Kartenspiele. Nie bestellt sich einer ein Buch. Ich warte vergebens darauf. Es erstaunt mich zutiefst, dass alle das Gleiche schreiben, holländische, deutsche, polnische Juden, Universitätsprofessoren und Gemüsehändler, immer ist da außer der Bitte um vergessene Dinge noch der Auftrag, wen man verständigen soll, von wem man sich Hilfe erwartet. Keiner schreibt ein Wort der Liebe oder der Freundschaft, keiner ein Wort der Trauer. Ebenso irritiert es mich, dass niemand weint. Warum? Ist es kein Grund zum Weinen, wenn man aus seiner Wohnung geholt und ins gräulich Ungewisse geschickt wird? Sind alle so tapfer oder alle so stumpf? Ich weiß es nicht. Sie stehen Schlange vor meinem Schreibtisch mit der grünen Maschine. (Später, als ich untertauche, gebe ich die Maschine einer Widerstandsgruppe. Als ich sie wiederbekomme, ist an Stelle des ä ein *SS*-Zeichen, Beweis, dass sie für gefälschte Papiere benutzt wurde.)

168

Ich schreibe die Briefe, dazwischen auch Zettel, auf denen ich mir die Adressen der Menschen notiert habe, die ich für die Gefangenen besuchen soll (was natürlich verboten ist), um irgendetwas zu erbitten. Einmal fragt mich eine junge deutsche Jüdin, die als Sekretärin für einen jüdisch-holländischen Arzt gearbeitet hat, ob ich zu ihrem früheren Chef gehen könne. Als einer der Ärzte im Lager Westerbork kann er zwischen Amsterdam und Westerbork nach Belieben hin und her reisen, und sie hofft, er könne etwas für sie tun, vielleicht ihren Transport nach Osten verhindern. Ich suche ihn in seiner Wohnung auf, er ist nicht da, aber seine Frau versichert mir, gewiss werde ihr Mann das Menschenmögliche für seine frühere Angestellte tun. Als ich ihr aber den Namen des Mädchens nenne, meint sie: «Das ist doch eine deutsche Jüdin, die brauchen ja gar nicht weg.» Das denken die Holländer wirklich. Ich erzähle ihr von Edgar, da ist sie still.

Eine neue Schwierigkeit: Wir sind für die holländischen Juden, was einst die Ostjuden für uns waren, fremd, abzulehnen. Außerdem glauben manche, dass ihr Land ohne uns deutsch-jüdische Emigranten nie von den Nazis erobert worden wäre.

Westerbork ist ursprünglich ein vom jüdischen Komitee gegründetes Lager, um die zu spät emigrierten, mittellosen Juden, die in den Niederlanden weder eine Aufenthalts- noch eine Arbeitserlaubnis erhalten hatten, einstweilen dort unterzubringen.

Als Westerbork von den Deutschen übernommen wird, sind es diese ersten Lagerbewohner, die nicht nur die deutsche Sprache sprechen, sondern auch die deutsche Mentalität verstehen und angeblich zu den besten Posten im Lager kommen. Eine trennende Wand steht zwischen holländischen und deutschen Juden, die doch alle das gleiche schreckliche Schicksal haben.

DIE INVENTARISATION

Dieses Buch ist die Geschichte meines Lebens und nicht die Geschichte der Vernichtung von über 100'000 holländischen Juden und der zahllosen, in die Niederlande geflüchteten Emigranten. Denn diese Geschichte gibt es bereits, leider noch immer nicht ins Deutsche übersetzt: das Buch *Ondergang* (Untergang) von Professor J. Presser. Ich schreibe also nur das auf, was mich unmittelbar angeht, was ich selbst erlebt habe.

Eines Tages (Edgar ist lange schon weg) kommen zwei Holländer in Zivil, die im Auftrag der Besatzungsmacht mein Atelier inventarisieren. Der eine diktiert, der andere schreibt sorgfältig alles auf: Apparate, Filme und Platten, große und auch winzig kleine Geräte wie Scheren und Klammern.
Sie haben das schon bei einer ganzen Reihe von Juden gemacht. Alles aufgeschrieben, damit sie es später, wenn die Inhaber deportiert sind, mitnehmen und als «Geschenk des holländischen Volkes» nach Deutschland transportieren können.
Nach dem Atelier wird bestimmt auch bald meine Wohnung an die Reihe kommen. Da mir an nichts mehr liegt, als an meinen Büchern, lasse ich mir die

171

Inventarisation meines Ateliers wortlos gefallen. Später packe ich meine Bücher heimlich in einen Koffer – es ist verboten, irgendetwas aus einem jüdischen Haus zu entfernen –, hänge den Koffer an die Lenkstange meines Fahrrads und bringe alles hinüber zu einer «arischen» Freundin, die ganz in der Nähe wohnt. Bin am Abend gerädert wie nach einer wirklichen Schwerarbeit. Aber bekomme nach dem Krieg die Bücher alle zurück.

DER PELZMANTEL

Eine junge deutschjüdische Frau, auf der Straße verhaftet, wird in die Schouwburg gebracht. Sie trägt ein Monstrum von einem Pelzmantel, aus verschiedenen Fellen zusammengesetzt, auffallend und hässlich.

Im Gegensatz zu allen Menschen, denen ich hier begegnet bin, strömen ihr die Tränen über das Gesicht, sie kann vor Schluchzen kaum sprechen. Da sie mir Leid tut, versuche ich, mit ihr zu reden. Dabei erfahre ich ziemlich schnell, sie weint nicht um sich, um keinen geliebten Menschen, sie weint um ihren Pelzmantel.

«So ein Pech, dass ich den gerade anhatte, als ich festgenommen wurde. Wenn er mit in den Osten geht, habe ich doch bei der Rückkehr nichts anzuziehen.»

Mir bleibt bei so viel Dummheit die Sprache weg, ich kann ihr doch nicht sagen: Sind Sie so sicher, dass Sie überhaupt zurückkommen? Doch an die Möglichkeit des Nichtzurückkommens scheint sie nicht zu denken. Nur immer wieder: der Pelzmantel, der könnte im Osten kaputtgehen, und das wäre doch einfach grässlich. Schließlich habe ich soviel Mitleid mit ihr, dass ich beschließe, ihr zu helfen. Als ich am nächsten Abend in die Schouwburg komme, habe ich einen ganz alten Wintermantel von mir an. Wir sind ungefähr gleich groß. Ich lasse ihr den alten Mantel da, schlüpfe in das hässliche Ungetüm und nehme es mit nach Hause.

Es ist bodenlos leichtsinnig von mir, wenn einer der uns bewachenden SS-Männer Augen im Kopf hat, erkennt er, dass ich nicht in dem Ungetüm gekommen bin und es überhaupt nicht meine Art ist, so etwas zu tragen. Wenn ich hops gehe, ist es auch mit Mutters und meinem Stempel vorbei. Ich gehe nicht hops, doch als ich meine Wohnungstür aufschließen will, merke ich, dass ich meine Schlüssel in dem alten Mantel gelassen habe. Ilses Dienststelle liegt ganz in der Nähe, sie hat einen Schlüssel zu meiner Wohnung, weil sie sich dort oft mit einem verheirateten Liebhaber trifft. Ich gehe also hinüber, um die Schlüssel zu holen. Ilses und auch mein Chef ist ein netter Mann, der sich unter allen Umständen streng an die Vorschriften hält und das auch von uns verlangt. Ich bin in seinem Zimmer, in dem Ilse arbeitet. Er sieht mich längere Zeit an, räuspert sich dann verlegen und sagt: «Ach, Frau Weil, gehen Sie doch bitte nicht in einem so auffallenden Pelzmantel in die Schouwburg.» Ich muss es schlucken, würde ich ihm die Wahrheit sagen, wäre ich keine zwei Stunden mehr beim Jüdischen Rat.

MEIN ATELIER WIRD GESCHLOSSEN

Eines Morgens, ich komme von der Schouwburg zurück, todmüde, verdreckt, den grässlichen muffigen Geruch noch in Haaren und Kleidung, da erscheinen vier holländische Zivilisten mit einem unfreundlichen Anführer. Sie haben mit Holzwolle gefüllte Kisten mitgebracht, in die sie jetzt alles, aber auch wirklich alles, aus meinem Atelier einpacken.

«Ihr Atelier ist auf Befehl der Gestapo ab heute geschlossen», sagt der Anführer. Noch habe ich tagsüber hin und wieder Aufnahmen gemacht, es ist wie ein Witz, ich kann doch ohne mein Material nicht arbeiten, und ob ich verhungere, ist ihnen ganz sicher egal, von dem, was ich in der Schouwburg bekomme, kann ich nicht leben.

Alles, was in den Kisten verschwindet, wird in den von ihnen mitgebrachten Listen ausgestrichen. Ich habe mich eine Stunde hingelegt und gesagt: «Sie verstehen, ich habe die ganze Nacht hindurch in der Schouwburg gearbeitet.»

Als ich wieder herunterkomme, sagt der Anführer: «Es fehlt noch eine Papierschere. Wo ist sie?»

– «Ich weiß es nicht.»

Ich weiß es schon. Es ist eine große Papierschere, sie liegt in einer Küchenschublade. Aber allmählich bin

ich so wütend und habe immer weniger Lust, zu apportieren wie ein braver Hund.

Er: «Es ist dumm von Ihnen, wegen einer Schere nach Polen zu wollen.»

Ich will nicht nach Polen ins Lager, kann aber nichts dagegen machen, wenn er mich hinschickt.

Nach einiger Zeit geht er weg: «Een Kopje Koffie trinken.»

Sobald ich ihn, der mich so reizt, nicht mehr sehe, komme ich wieder zu Verstand, hole die Schere und bringe sie demjenigen der Packer, der mir der Vernünftigste zu sein scheint: «Ich habe sie gefunden.»

«Nein, Mevrouw, nicht Sie, ich habe sie gefunden, hier in der Holzwolle. Weiß der Teufel, wie sie da hineingekommen ist.» Der Anführer kommt zurück, scheint jetzt ganz zufrieden zu sein, weil die Schere wieder da ist. Dann gehen sie fort. An der Tür dreht der Unhold sich noch einmal um und sagt: «Mevrouw, es kommen auch wieder andere Zeiten.»

Womit er ja Recht hat, die Frage ist nur, ob ich diese Zeiten erlebe.

WIE NEUGIERDE
EDGARS MUTTER RETTET

Edgars Eltern wohnen in Amsterdam schon vor dem Krieg in einem kleinen Haus an einer der kurzen Straßen, die vom Stadionweg aus nach Süden gehen.

Mein Schwiegervater hat den ganzen Winter 1940 auf 1941 über Rückenschmerzen geklagt, ohne dass die Ärzte etwas finden konnten. Im Frühjahr 1941 entdecken sie im Röntgenbild, dass er Krebs hat.

Im Juni, ein paar Tage vor Edgars Verhaftung, kommt er ins Krankenhaus. Erfährt nicht mehr, was geschehen ist. Mu erzählt ihm, dass Edgar beim Arbeitsdienst sei und dass es ihm gut gehe. Sie ist ungeheuer tapfer, schminkt sich, macht sich schön und sitzt mit der großen Lüge am Bett des Mannes, den sie nie gemocht hat.

Er stirbt, bevor Edgars Todesnachricht eintrifft. Danach bleibt Mu in ihrem Haus wohnen, will später einmal mit ihrer Freundin Erna, die aus Deutschland auch nach Holland gekommen ist, zusammenziehen. Seit die Deportationen angefangen haben, trägt sie Zyankali in ihrer Handtasche herum. Taucht sehr frühzeitig unter. In einer einfachen Wohnung bei einem Handwerker.

Eines Tages wird in der BBC behauptet, dass in Kürze in Holland Razzien zu erwarten seien, nicht nur gegen

Juden, sondern gegen junge Holländer, die zum Arbeitsdienst nach Deutschland geschickt werden sollen.

Mu's Untertauchplatz in einer Amsterdamer Arbeitergegend wäre natürlich bei so einer Razzia gefährdet, und sie beschließt, für kurze Zeit in ihr Haus zurückzukehren.

Ich finde das nicht klug, mag aber nichts dagegen sagen.

Eines Morgens werde ich durch einen in meinem Haus wohnenden Kollegen des Jüdischen Rates geweckt, der über das flache Dach gelaufen kommt und mir die Ausgeherlaubnis für diesen Tag durch das Schlafzimmerfenster wirft.

Ich bin in einer Minute fertig angezogen und gehe hinüber zu meiner Dienststelle, wo auch Ilse arbeitet.

Es ist eine Razzia gegen Juden angesagt. Wir vom Jüdischen Rat müssen uns alle auf dem großen Olympiaplein einfinden, um die Adressen derer aufzuschreiben, die «abgeholt» werden, ihre Hausschlüssel in Empfang nehmen, um sie den Beamten der Hausraterfassungsstelle abzuliefern. Später wird man die betreffenden Wohnungen leer räumen und alles Brauchbare als «Spende» für die Ausgebombten nach Deutschland schicken.

Bevor ich mich aber an dem Platz, an dem ich arbeiten soll, einfinde, will ich Mutter aus ihrer Wohnung weg zu arischen Bekannten bringen.

Als ich die Dienststelle gerade verlassen will, treffe ich auf der Straße mit einem meiner holländischen Chefs

179

zusammen, der glücklicherweise neugierig ist und mich fragt, wo ich denn hingehe.

«Ich will meine Mutter wegbringen.»

«Wo wohnt sie denn ?», fragt er noch neugieriger, und als ich ihm die Adresse nenne, sagt er: «Lassen Sie Ihre Mutter zu Hause. Die Wohnung liegt außerhalb des infrage kommenden Gebietes.»

«Wissen Sie das sicher?» – «Ja, ganz sicher.»

Ich glaube ihm, da in dieser Gegend wirklich keine Juden wohnen. Jetzt habe ich etwas Zeit und beschließe, zu der wieder aufgetauchten Mu zu gehen, da ihre Freundin Erna, die inzwischen auch beim Jüdischen Rat arbeitet, viel zu weit entfernt wohnt, um ihr irgendwie helfen zu können.

Ich gehe schnell zu Mu's Haus, klingele sie, die natürlich noch schläft, wach. Sie hat vor einiger Zeit erzählt, dass Leute, die gegenüber wohnen und die sie eigentlich kaum kennt, ihr angeboten haben, sie könne sich jederzeit bei ihnen verstecken wenn etwas los wäre (so sind die Holländer).

Ich lasse mir von Mu die Adresse sagen, gehe hinüber und bitte Mu, schnell nachzukommen.

Die holländische Familie ist reizend und ganz ohne Angst, ich solle beruhigt sein, sie hätten ein gutes Versteck, und Mu solle nur kommen.

Das tut sie sehr bald, doch jetzt gehe ich. Als ich aus dem Haus trete, biegen die *SS*-Leute gerade um die Ecke in die Straße ein. Es war eine Frage von höchstens einer halben Minute.

180

An diesem Tag werden sechstausend Menschen deportiert, doch weder Mu noch Mutter ist etwas geschehen.

MEINE STERNTRAGENDE MUTTER

Wie Mutter nicht emigrieren wollte, so will sie jetzt auch nicht untertauchen. Ich kann ihr nicht zu- nicht abraten, beides kann tödlich sein.

So bleibt sie in ihrer Wohnung, kauft zwischen drei und fünf Uhr ein (zu anderen Zeiten ist es Juden verboten), hält meistens die Tasche so über den Stern, dass man ihn nicht sieht (darauf steht KZ) und besucht Bekannte.

Einmal ist bei einer Teegesellschaft auch eine holländische Bauersfrau, die früher im Hause Dienstmädchen war. Sie begleitet Mutter heim, kommt nach einer halben Stunde noch einmal zu ihr zurück und sagt: «Es ist schrecklich, dass Sie noch nicht untergetaucht sind. Wenn Sie nicht wissen, wo Sie das tun können, kommen Sie doch zu uns. Wir sind eine große Familie, haben acht Kinder, auf einen Esser mehr oder weniger kommt es nicht an», und gibt Mutter die Adresse in Südholland. Dafür, dass Mutter gefälschte Papiere hat, habe ich schon seit langem gesorgt.

Irgendwann erhält Mutter den Befehl, ihre hübsche Wohnung zu räumen und in eine ihr zugewiesene Wohnung umzuziehen. Diese liegt in einer Arbeitergegend, die fast zur Hälfte von einem Bahndamm umgeben, also relativ leicht abzusperren ist. Alle Juden, die aus ihren Wohnungen fort müssen, kommen dorthin. Es ist nur eine Art Ghetto, weil ein Teil der Arbeiterfamilien noch dort lebt.

Es ist eine einfache, nicht hässliche Wohnung, groß genug, dass Ilse und ich, wenn wir erst aus unseren Wohnungen fort müssen, mit einziehen können. Oben im Haus wohnen einige jüdische Familien, die Mutter natürlich gut kennt. Arbeiter leben nicht mehr im Haus.

Es gibt jetzt immer weniger Juden in Amsterdam, zwischen dem 5. Juli 1942 und dem 29. September 1943 wurden fast alle deportiert, und das waren fast hunderttausend Menschen. (Bis zum Kriegsende sind von den 140 Tausend 1941 in den Niederlanden lebenden Juden über 110 Tausend umgekommen.) Man stelle sich eine Stadt vor, in der regelrecht Jagd auf Menschen mit gelbem Stern und erst recht auf solche, die ihn nicht tragen, gemacht wird. Für jeden, der eingeliefert wird, bekommt der Jäger Geld. Ich habe selbst eine Quittung in den Händen gehabt, in der zwei Menschen mit Namen genannt sind, und darunter steht: Drei weitere im freien Jagen.

Wenn eine Razzia angesagt ist, erfahren wir vom Jüdischen Rat, der inzwischen auch auf eine kleine Gruppe zusammengeschmolzen ist, das in der Regel durch die Mitarbeiter der Hausratserfassungsstelle, meist älteren, braven Holländern, die uns erzählen, wenn sie aufgeboten werden. Die Deutschen haben dieses Leck entdeckt. Am 28. September 1943 wird den Leuten in der Hausratserfassungsstelle nur mitgeteilt, dass sie sich am Abend einen Film ansehen müssen. Dass sie danach nicht mehr weggelassen werden, wissen sie nicht.

Es kommt der 29. September. Wir haben nichts von einer Razzia gehört, erfahren aber in der Schouwburg, dass wir nicht mehr nach Hause dürfen. Eine Nacht lang gefangen, eine einzige Nacht, in der ich mir fieberhaft überlege, ob ich fliehen oder mitgehen soll. Wie ich mich auch entscheide, Mutter und ich werden nicht zusammenbleiben, so viel ist mir klar, dagegen kann ich vielleicht etwas für sie tun, solange ich frei bin. Sie hat einen Verdienstorden aus dem Ersten Weltkrieg, es gibt in München viele Menschen, die für sie zeugen können, am besten die Wittelsbacher Prinzessin. (Ich weiß nicht, dass die Wittelsbacher bei den Nazis längst in Ungnade gefallen sind.)

Mit viel Hilfe kann es vielleicht gelingen, dass Mutter nach Theresienstadt kommt. Von Theresienstadt weiß man, dass es besser als andere Lager ist. Es sind von dort schon Briefe von Menschen gekommen, die seit drei Jahren überlebt haben.

Ich versuche einen Kollegen, einen guten Freund, zu überreden, mit mir zu fliehen, aber er, der eine deutsche «arische» Freundin hat, weigert sich.

In der Schouwburg, in der manche Familien wochenlang eingesperrt sind, weil man nicht weiß, ob sie, als Spezialisten in ihrem Beruf, in Holland nicht noch gebraucht werden, kommt ein Schneiderehepaar zu mir, das schon zwei Wochen da ist. «Wir versuchen wegzukommen», sagen sie, «und weil Sie immer so freundlich zu uns waren, möchten wir gern, dass Sie mit uns gehen.»

Ich bedanke mich gerührt und lehne ab, denn ich habe das Gefühl, dass wir uns gegenseitig belasten würden. Dann verabrede ich mit Mu's Freundin Erna und einem Jungen vom Jüdischen Rat, dass wir es gemeinsam versuchen wollen. Es kommt nur ein Weg in Frage, der frühere Bühneneingang, jetzt Gepäckgang genannt, weil hier die Bagage der Verhafteten hereingebracht wird. Es kann sein, dass einer der uns bewachenden SS-Männer draußen steht und uns zurückschickt. Sie kennen natürlich diesen Fluchtweg auch, doch sind wir «ihre Juden», die sie gut kennen, wahrscheinlich wollen sie uns nichts Böses.

Wir gehen schweigend Hand in Hand, ein letzter Schritt – niemand steht draußen. Schnell reißen wir uns die Sterne von den Mänteln, Erna geht zu dem Untertauchplatz, an dem Mu schon ist. Der Junge, den wir Bübchen nennen, kommt mit mir.

Herbert, Edgars Schulfreund, der zu Anfang seiner Emigration bei uns in unserem Haus in Amstelveen gelebt hat, wohnt inzwischen in der Amsterdamer Altstadt, zusammen mit der deutschjüdischen Grafikerin Vera, die schon seit ihrer Kindheit in Holland ist. Er hat immer wieder gesagt, dass ich zu ihnen kommen soll. Ich habe abgelehnt, weil ich nicht wollte, dass er durch mich in Gefahr käme. Doch jetzt sage ich mir, dass Vera ihn schon in Gefahr bringt, und ob ein oder zwei Menschen bei ihm gefunden werden, macht eigentlich keinen großen Unterschied.

Ich strebe also Herberts Wohnung zu. Ich weiß, dass das Haus gut ist. Im Parterre ist ein Geschäft, in dem Devotionalien verkauft werden, und das also frommen Leuten gehört, im ersten Stock wohnt Herbert in seinem Atelier, im zweiten Stock ein Beamter des Standesamtes mit seiner Frau und einer bei ihm untergetauchten holländischen Jüdin. Ich stehe vor dem Haus, klingle, läute Sturm. Es ist kurz nach sechs Uhr am Morgen, klar, dass Herbert und Vera noch schlafen. Bübchen, der die ganze Zeit neben mir ausgeharrt hat, wird es schließlich zu dumm, er wünscht mir viel Glück, dreht sich um und geht weg. Als ich allein bin, kommt ein Polizist auf dem Rad, steigt ab und schaut mich interessiert an. Jetzt gehe ich schnell fort, durch ein enges Gässchen, durch das er mir radelnd nicht folgen kann. Stehe auf dem Rokin, der breiten Straße, von der ich auf jeden Fall sofort verschwinden muss. Gehe hinüber auf die andere Seite, wo der mir gut bekannte Maler Max Beckmann mit seiner Frau wohnt. Klingle, aber ich habe Pech, sie sind verreist.

Ein paar Häuser weiter wohnt die Frau, mit der sich unser Amsterdamer Anwalt, ein Emigrant, verheiratet hat (wohl in der vergeblichen Hoffnung, sich zu schützen; er wurde bereits deportiert). Ich weiß, dass die Frau mit einem deutschen Offizier befreundet ist. So etwas spricht sich rasch herum. Wage es trotzdem, muss es wagen.

Ich klingle also auch hier, höre Schritte, ein deutscher Offizier in Uniform macht mir auf. Ich erkläre ihm schnell, wer ich bin, warum ich so früh vor der Tür stehe und bitte um Hilfe von Frau Sch.. Freundlich sagt er: «So kommen Sie doch herauf.» Tatsächlich ist ein deutscher Offizier der erste Mensch, der mir nach der Flucht aus der Schouwburg geholfen hat.

Oben ist auch Frau Sch., die sehr nett sagt: «Ich mache mich fertig und fahre zu Ihrer Mutter.» (Die sie so gut oder so wenig kennt wie mich.) Ich wende ein, das hätte keinen Sinn, man habe Mutter bestimmt bereits geholt. Doch Frau Sch. besteht darauf, den weiten Weg zu machen. Ich solle bis zum Abend in der Wohnung warten und erst in der Dämmerung zu Herbert hinübergehen.

Sie bleibt sehr lange weg, ich unterhalte mich inzwischen mit dem Deutschen. Dann kommt Frau Sch. zurück und sagt: «Ihre Mutter ist zu Hause.»

Das ist der erste und einzige Moment, in dem ich hemmungslos anfange zu weinen. Aber ich muss handeln. Mutter darf keine Nacht mehr in ihrer Wohnung bleiben. Manchmal folgt der ersten eine zweite Razzia.

Ich bitte also Frau Sch., eine arische Freundin von Mutter und mir anzurufen und ihr zu sagen, sie solle zu Mutter gehen und ihr beibringen, sie dürfe nicht mehr in ihrer Wohnung bleiben, sondern solle sofort

187

zu Hedda von Kaulbach, Max Beckmanns Schwägerin, gehen, die ihr das oft angeboten hat.

Was in der Nacht der Razzia geschehen ist, kommt einem Wunder gleich. Natürlich wussten alle Juden in dem Halbghetto, dass man sie deportieren würde und saßen reisefertig auf Koffern und Rucksäcken. Mutter wusste genauso von der Razzia, sagte sich aber, dass sie nichts davon habe, wenn sie übernächtigt sei und legte sich schlafen. Nachts, irgendwann zwischen zwei und drei Uhr, klingelte es. Sie schlüpfte in ihren indischen Morgenrock, natürlich ohne den Stern, der auf jedem Kleidungsstück hätte sein müssen, in dem sie die Tür öffnete. Sie machte auf, zwei deutsche *SS*-Männer in Uniform standen draußen, die fragten, ob sie allein wohne, was sie bejahte. Dann erkundigten sie sich, ob im Hause Juden wohnten. Sie sagte, das wisse sie nicht, damit fast zugebend, dass sie blind sei, denn kein Mensch konnte die gelben Sterne übersehen. Sicher war es diese Antwort, die sie rettete. Jedenfalls sagten die beiden: «Entschuldigen Sie die Störung, legen Sie sich gleich wieder schlafen. Gute Nacht.»

Ich habe jahrelang darüber nachgedacht, wie dieses Wunder zu Stande kam. Vielleicht hat einer an seine eigene Mutter gedacht, aber beide? Die einfachste Erklärung: Sie hielten sie nicht für eine Arbeiterfrau (das konnte man auch schlecht), nicht für eine Jüdin (der fehlende Stern, sie war so blond und blauäugig), sie hielten sie einfach für eine Deutsche. Und das war sie ja auch.

188

UNTERGETAUCHT

Ein Gefängnis, in das man sich freiwillig begeben hat. Ich habe, als ich zu Herbert komme, drei Päckchen Zigaretten bei mir. Mutter kennt Fabrikanten, die haben ihr die Zigaretten für mich gegeben, denn legal gibt es sie längst nicht mehr. Als ich die erste Zigarette anzünde, bekomme ich böse Blicke und die Worte zu hören: «Das ist aber unangenehm.» Ich war bis zu diesem Augenblick eine starke Raucherin. Drücke die Zigarette aus und gebe den Rest Herbert, damit er sie jemandem schenken oder sie eintauschen kann.

Herbert ist ein deutscher Halbjude, also Ersatzreserve zwei, kann jeden Tag eingezogen werden. Wird aber nicht. Er hat wie alle Halbjuden einen Pass, der nur sechs Monate gültig ist. Kann aber damit zur Sperrstunde ausgehen, wenn die Holländer zu Hause bleiben müssen. Die meisten der Kontrollierenden wissen gar nicht, was dieser Sechsmonatspass bedeutet.

Das Atelier ist schön, es stehen auch schöne Dinge darin, die allerdings dauernd umgestellt werden, was mich so nervös macht, dass ich mir vornehme, künftig nur im äußersten Notfall Möbel umzustellen, woran ich mich bis ins Alter halte.

Vera liebt Tiere und verachtet Menschen, ist sechs oder sieben Jahre jünger als ich, eine begabte Grafikerin und sehr eifersüchtig. Sie hat einen Scotchterrier, den ich nie zu streicheln wage, Herbert ohnehin nicht, ihn mag ich gar nicht streicheln, was sie nie ganz begreift. Sie versteht auch nicht, dass mich das Schicksal meiner Kollegen aus der Schouwburg interessiert und lässt mich spüren, wie dankbar ich für jede Auskunft sein muss.

Herbert und Vera schlafen auf der Couch im Atelier. Ich in einem Versteck hinter der Bücherwand. In einem winzigen Raum stehen Herberts Bücherschränke – er hat die eigene Bibliothek noch mit Büchern von Untergetauchten ergänzt. In dem Zimmer ist außerdem ein kleines Waschbecken mit fließendem Wasser. Herbert hat die eine Bücherwand einen Meter vorgerückt. Die beiden untersten Bücherfächer hängen aneinander und können mit einem einzigen Griff herausgeholt und wieder eingesetzt werden. In dem Hohlraum schlafe ich auf einer Matratze, die sich mehr und mehr zusammenklumpt. Wenn Gefahr droht, kann Vera zu mir hereinkommen, wir haben Licht an der Decke und Taschenlampen, einen Nachttopf und Lebensmittel für ein paar Tage. Die Hauptschwierigkeit, die das Versteck bereitet hat, war der Stuck an der Decke, der durch das Vorrücken der Bücherwand nicht mehr eingemittet war. Herbert hat ihn abgekratzt und das Muster wieder neu angelegt. Dann hat er Freunde, die wussten, dass hier ein Versteck ist, in die Bibliothek geführt, nicht einer hat es entdeckt.

In den ersten Tagen und Wochen, den schwierigsten, stürze ich mich auf die Bücher, lese Shakespeare von vorne nach hinten, auch dicke Wälzer, die ich früher ungeduldig beiseite gelegt habe: *Der grüne Heinrich*, Romane von Dickens, *Die Wahlverwandtschaften*. Ich entdecke Schönheiten, die mir ohne dieses komprimierte Lesen entgangen wären.

Um etwas zu verdienen, formen Herbert und Vera kleine Tiere aus Ton, die ich anmale und die dann, als Zirkus in einen Kasten gelegt, an Warenhäuser verkauft werden. So bemale ich hundert Tiger, hundert Elefanten, tausend Pferdchen. Die Arbeit macht Spaß, auch wenn sie eintönig ist. Im Jahr darauf können wir auch keine Zirkusse mehr loswerden.

Mutter ist einige Tage bei Hedda von Kaulbach geblieben, wird dann von ihr – natürlich sind sie unterwegs im Abteil zwei Damen, die sich nicht kennen – nach Südholland zu der Familie der Bauersfrau gebracht.

Als Mutter ankommt, hat die zehnköpfige Familie eine einzige Zahnbürste, doch schon am nächsten Tag sind es zehn. Mutter gibt den Kindern Klavierstunden, Greet, die ich in der Nacht der Kapitulation kennengelernt habe und die inzwischen meine Freundin ist, besucht sie. Was Greet erzählt, gefällt weder ihr noch mir. Auf dem Hof gibt es einen Bruder der Bäuerin, der Schwarzhandel treibt, außerdem ein sehr jüdisch aussehendes, untergetauchtes Kind. Greet bringt Mutter bald zu ihren Freunden nach Zaandam, wo Mutter es wirklich gut hat, jedoch nicht bleiben kann. Sie wird weitergereicht an ein junges Ehepaar mit zwei kleinen Kindern. Der Mann ist Lebensmittelchemiker, es gibt also fast immer genug zu essen. Die Frau wäre eine gute Nazisse, doch scheint es inzwischen opportun, etwas gegen den Feind zu unternehmen, und die alte Jüdin ist als Kinderfrau gut zu gebrauchen.

Weihnachten naht. Ich bitte meine «arische», mit einem Juden verheiratete Freundin Alice zu kommen. Sonst darf niemand wissen, wo ich bin – ein Wunsch von Herbert, den ich gut verstehen kann, jeder Mitwissende ist eine potentielle Gefahr. Alice kann ich sagen, was ich Herbert und Vera schenken will, sie besorgt es, soweit es möglich ist, man bekommt ja fast nichts mehr.

Ich bitte sie, für Vera ein Aquarium zu kaufen. Das Geschenk ist ein voller Erfolg, Vera sitzt stundenlang davor und betrachtet die vier oder fünf Fischchen, die trübselig darin herumschwimmen.

Ich muss zu Weihnachten etwas anfertigen, das wird von mir erwartet. Herbert hat ein Puppentheater. Nachts setze ich mich hin und schreibe ein Stück in Versen, das ich Weihnachten 1943 vorlesen werde, und male ein paar Kulissen, außerdem schneide ich Papierpuppen aus, die ich, auf Stäbchen geklebt, hin und her schieben kann.

Herbert hat großzügigerweise Ilse, die immer noch als eine der letzten Personen offiziell dem Jüdischen Rat angehört, am Weihnachtsabend eingeladen. Sie kommt am Nachmittag, er bietet ihr Mineralwasser an, sie sagt, dass sie gerne Tee hätte, es ist bitterkalt draußen, und sie musste ja durch die ganze Stadt vom Süden her zu Fuß gehen. Er gibt ihr unfreundlich Tee, sagt am nächsten Morgen, es sei eine Unverschämtheit, wenn man eingeladen sei, etwas zu verlangen. So ist Herbert: Erst meint er es gut, dann belehrt er alle und verdirbt es mit ihnen.

Herbert und Vera haben so viel für das sogenannte Fest vorzubereiten, dass es erst um ein Uhr in der Nacht anfangen kann. Da bin ich müde und sage es auch. Herbert fährt mich an: «Du bist eben eine unverbesserliche Kapitalistin, bei uns kamen die Eltern so spät erst aus dem Geschäft nach Hause, dass niemals früher mit dem Feiern begonnen wurde.»

Ich bekämpfe Ärger und Müdigkeit, lese mein Stück vor und schiebe die Puppen hin und her. Starker Beifall. Alle sagen, dass die Dekoration und die Puppen sehr gut gewesen seien.

«Und das Stück?», frage ich ein wenig enttäuscht, bekomme aber zu hören: «Dass du schreiben kannst, hat niemand bezweifelt, dass du aber auch Dekorationen malen kannst, hat keiner gewusst.»

Dabei habe ich das Stück, aus der Schouwburg kommend, mit heißem Herzen geschrieben, und noch heute ist es das einzige, was ich geschrieben habe, bei dem mir beim Vorlesen jedes Mal die Tränen kommen.

Hier das Stück, das ich am Weihnachtsabend 1943 meinen Freunden vorgelesen habe:

WEIHNACHTSLEGENDE 1943

Personen: Die Frau
Der Mann
Der Arzt
Der Arbeiter
Der Bauer
Sprecher vom Judenrat
1. Junge vom Judenrat
2. Junge vom Judenrat
Der Hauptsturmführer
Der Tod
Chöre

Ort: Im ersten und letzten Bild ein Speicher, irgendwo in Europa, im zweiten Bild ein Theater, das als Sammelstelle für zu deportierende Juden gebraucht wird.

Zeit: Weihnachtsabend 1943

Speicher. Vorn links steht ein Bett, in dem die Frau liegt. Vor ihr auf einem Stuhl sitzt der Arzt. Er ist ein Mann Mitte der Vierzig. Zu Füßen des Bettes steht eine Kiste, darin liegt, in Tücher gepackt, das Neugeborene.

Frau:	Doktor, wird mein Kind leben?
Arzt:	Es ist so kräftig wie nur irgendeines.
Frau:	Werden die Menschen gut zu ihm sein?
Arzt:	Ich kenne den alten Bauern, seit ich auf der Welt bin. Er ist ein prächtiger Mensch. Seine Kinder sind gut wie er.
Frau:	Das mein ich nicht. Werden die Menschen später gut zu ihm sein. Wenn er groß geworden ist. Zu uns waren die Menschen nicht gut.
Arzt:	Aber Kind, Kind. Du sollst nicht weinen. Solche Zeiten kommen nicht wieder. Wenn der Bub groß geworden ist, gibt es keine Verfolgten und Unterdrückten mehr, jeder ist frei, einer achtet den anderen, jeder lebt in seiner Würde.
Frau:	Gibt es das, Freiheit und Würde?
Arzt:	Natürlich. Nicht nur der Junge soll davon genießen, auch du und, so wollen wir hoffen, sein Vater.
Frau:	Ich nicht mehr. Ich bin zu müde.
Arzt:	Ach was, das geht vorüber.
Frau:	Nein, das geht nicht vorüber. Die Müdigkeit sitzt nicht in den Augen, sondern hier *(Sie weist auf ihr Herz)*. Solange ich ihn getragen habe, war Kraft in mir. Die hab ich zu gleicher Zeit mit ihm ausgestoßen. Jetzt bin ich müde. Nicht traurig, nicht verzweifelt, nur müde.

196

Arzt: Schlafe, Kind, schlafe. Nicht mehr denken,
             nicht mehr wissen, fallen lassen und schlafen.
Die Frau schläft ein. Leise kommt der junge Arbeiter.
Arbeiter: Wie gehts?
Arzt: Nicht gut.
Arbeiter: Wie ich heraufkam, hatte es schon begon-
             nen. Ich konnte nichts mehr tun als zu Ih-
             nen laufen. Verdammt, dieser Speicher ist
             doch keine Wochenbettstube. Da baut man
             Krankenhäuser mit großen, luftigen Sälen,
             in denen alles blitzt und blinkt, nach den
             allerneuesten Erkenntnissen der Hygiene.
             Und so eine hier, so eine Junge, Kräftige,
             muss in diesem Dreck gebären und wird
             wahrscheinlich daran verrecken, nicht, weil
             sie kein Geld hat – das war vor zehn Jahren
             modern, und die Herren mussten was an-
             deres finden, weil wir ihnen schon zu nah
             an den Hals gekommen waren –, sondern
             weil sie von anderer Rasse ist, von schlech-
             ter, gefährlicher. Sie ist ein Untier. Sehen
             Sie, Doktor, was für zartgeschwungene
             Lippen dieses 19jährige Untier hat, was für
             eine schmal gebogene Nase und diese
             großen, grauen Augen, mit denen sie mich
             in ihren Schmerzen angesehen hat, die wa-
             ren recht ungeheuerlich.
Arzt: Sei still, Junge, du weckst sie auf. Gönn ihr
             den Schlaf.

Arbeiter: *(geht vor die Kiste und spricht halblaut)* Sie haben deinen Vater nach Polen geschickt, sie haben deine Mutter gemordet. Vergiss es nicht, vergiss es nicht. Sie fahren in ihren Autos, sie saufen mit ihren Weibern. Vergiss es nicht, vergiss es nicht. Die ganze Erde riecht nach Blut, weil die Mächtigen nach neuer Macht durstig sind. Vergiss es nicht, vergiss es nicht.

Frau: *(erwacht)* Was murmelst du?

Arbeiter: Ich sing ihm ein Wiegenlied. Das gehört sich so. Und haben wir auch keine Wiege, so doch einen Mund, um zu singen. Und einen Kopf, um zu denken.

Frau: Du redest dich noch um deinen Kopf. Ich habe Angst um dich, du bist zu mutig.

Arbeiter: Mut ist ein rarer Artikel heutzutage. Darum will ich mich nicht anders als teuer verkaufen.

Es wird geklingelt.

Arzt: Das ist der Bauer.

Arbeiter: Ich lass ihn herein. *(ab)*

Frau: Erzähl mir, gibt es dort Wiesen und Bäume?

Arzt: Ein kleiner Weiher ist vorm Haus, auf dem schwimmen Enten und zwei große Schwäne. Im Stall stehen schwarzweiße Kühe und zwei schwere flämische Pferde. Auch gibt es Katzen, einen alten zottigen Bernhardinerhund, weiße Lämmer, Ziegen und Hühner.

Frau: Und Luft? Und Wind?

Arzt: Der Wind rauscht in den Bäumen, dass du denkst, wenn du darunter liegst, es sei das Meer, das an den Strand schlägt. Am Abend läufst du auf den Hügel, da siehst du einen riesengroßen, feuerroten Ball in die Heide versinken und du gehst getrost nach Hause, das Tagwerk ist getan, die Stube, die Wärme erwarten dich.

Frau: Nach Hause? Wird es zu Hause für ihn sein? Er ist doch fremd.

Arzt: Hast du auch schon gelernt, nach ihrem Mund zu reden. Sie sagen, das Weiße sei schwarz, und die ganze Welt spricht es ihnen nach, obwohl jeder mit seinen zwei Augen das Gegenteil feststellen kann. Am lautesten und heftigsten aber beteuern die Verfolgten selbst, dass sie schwarz sind. Sie jammern zwar und flehen, man solle ihnen doch glauben, dass schwarz auch eine ganz hübsche Farbe sei, fast ebenso schön wie weiß, nur ein kleines, kleines bisschen hässlicher, aber warum zum Teufel lachen sie nicht oder schreien es in die Welt: Wir sind weiß und genau so schön wie ihr! Schaut uns nur ordentlich an, dann werdet ihr es schon sehen.

Frau:	Das Lachen, das Schreien, aber auch das Weinen ist uns vergangen. Wir sind so tapfer wie es nur zerbrochene Menschen sind. Wir fürchten nichts, weil wir alle Schrecken schon tausendmal im Voraus erlebt haben; wir hoffen nichts, denn wir können es uns nicht vorstellen, dass es anders werden könnte.
Arzt:	Verzeih. Wir sprechen die großen Worte, ihr lebt das große Leid. Über unsern Worten, die uns selbst so wohl in den Ohren klingen, vergessen wir die tausend schmerzensvollen Stunden, durch die ihr müsst, und sind böse, wenn ihr nicht alle Heilige und Helden seid.
Frau:	Es sind nur sehr wenige Heilige unter uns, aber Helden sind wir fast alle. *(Fast heiter)* Dies eine müsst ihr uns lassen. Wir verstehen uns vortrefflich darauf, zu leiden und zu sterben. Vielleicht schlagen wir in den Zeiten, in denen wir nicht gerade leiden und sterben müssen, über die Stränge. Weil wir auch Menschen sind und unser Leben lieb haben. *(Man hört Schritte)* Jetzt kommt er, um mein Kind zu holen.

Arbeiter kommt mit dem alten weißhaarigen Bauern.

Arzt:	Ihr kommt früher als wir euch erwartet haben, Vater.
Bauer:	Weil Weihnachten ist, muss ich zeitiger zu

Hause sein. Der Alte muss dabei sein, wenn sie den Baum anzünden.

Frau: *(hat sich aufgerichtet)* Nimm ihn nicht mit. Lass ihn hier.

Arbeiter: Komm sei tapfer, komm, sei ruhig.

Frau: Das darf es doch nicht geben, das ist ja von Irren erdacht, man kann einer Mutter doch nicht ihr Kind wegnehmen.

Arzt: Es ist nur eine kurze Trennung. Du musst vernünftig sein.

Frau: Vernünftig, immer vernünftig. Ich war vernünftig, wie sie nachts vor uns standen und meine Eltern wegschleppten, ich war vernünftig in all den Monaten, in denen wir uns versteckt hielten, ich war vernünftig, als sie uns packten, so vernünftig, dass ich allein floh aus dem Theater, in das sie uns gebracht hatten, um uns von dort weiterzuschicken und meinen Mann zurückließ um des Kindes willen, ich war vernünftig in den Wochen hier oben allein – jetzt kann, jetzt will ich nicht mehr vernünftig sein.

Bauer: Er soll es gut bei uns haben, der Bub.

Frau: *(Spricht, wie wenn sie ihn nicht gehört hätte)* Er wird lachen, und ich werd es nicht sehen, er wird Kummer haben, und ich kann ihm die Tränen nicht abwischen, er wird in andere Arme als die meinen laufen, wenn er seine ersten Schritte macht. Hat darum euer Gott die Welt ersühnt, dass alle, alle nach ihm noch einmal gekreuzigt werden? *(Sie sinkt zurück)*

Bauer: Mein Gott, richte nicht, wenn sie sich versündigt, denn sie ist schwach und elend.

Arbeiter: Hat sie nicht Recht? Ist sie nicht hierhergebracht von Menschen, die diesen Gott bei jeder Gelegenheit im Munde führen: «Die Vorsehung wird uns weiter helfen wie bisher.» – «Der Allmächtige steht uns bei.» Noch immer morden sie in seinem Namen.

Arzt: Lasst Gott aus dem Spiel, wo es um Werk der Menschen geht. So einfach ist es nicht, dass seine Geschöpfe alle Verantwortung auf ihn abwälzen können.

Bauer: Liegt sie nicht da wie die Mutter Gottes?

Arbeiter: *(böse)* Und wir sind die Ochsen und Esel, die friedlich und untätig zuschauen, wenn sich ein Schicksal vollzieht.

Arzt: Nein, aber vielleicht sind wir so etwas wie die Drei Könige, die gekommen sind, um dem Kind zu huldigen, das ein Mensch ist, gezeugt in Lust, geboren in Schmerzen, so gut wie alle anderen.

Die Frau ist eingeschlafen. Während sich die Männer flüsternd weiter unterhalten, wandelt sich der Hintergrund. Man sieht ein Theater. Vorne auf der Bühne sitzen Hand in Hand, mit dem Rücken zu den Zuschauern, der Mann und die Frau. Die Bühne ist fast leer.

An der Rampe ein Mikrofon, davor ein Junge vom Judenrat.

Junge v. JR:	Meine Damen und Herren. Mit Zustimmung der Wache findet heute Abend ein Kabarett statt. Rauchen ist verboten, Lachen nicht.
Frau:	Sie können über ihr eigenes Unglück noch Witze machen.
Mann:	Sie langweilen sich. Die Leere der Stunden frisst noch ihre letzte Kraft.
Frau:	Jeder Schlag des Herzens ist erfüllt mit Leben, solange du bei mir bist.
Mann:	Jede Not ist leicht zu ertragen durch dich. Still, Liebste, es beginnt.

Der Tod kommt auf die Bühne und postiert sich vor dem Mikrofon.

Tod: Willkommen, wertes Publikum.
Ihr schaut erstaunt. Ihr blickt euch zögernd
  um.
Seid ruhig, ich tu euch heute nichts zu Leid,
Ich lasse euch und ihr lasst mir noch Zeit.
Ihr sollt auch eure Trübsal bald vergessen
Und ich – bin grade etwas überessen.
Drum hab das Stundenglas ich gern ver-
  tauscht
Hier mit dem Mikrofon. Seid still und
  lauscht
Auf die Akteure, die ich euch beschwöre.
Es sind ein paar ganz allerliebste Chöre.

Nicht sehr erfahren noch in dem Agieren,
Vielleicht, dass einige sich selbst genieren.
Seid nicht zu streng. Und ist das Spiel zu
    Ende
Gebrauchet mir gar fleißig eure Hände,
Denn Beifall wünscht sich jedes Mimen
    Herz,
Wenn er nicht kommt, ists selbst dem Tod
    ein Schmerz.
Und ist er auch mit Beifall nicht verwöhnt,
So tuts ihm Leid, wenn man ihn oft ver-
    höhnt.
Ich weiß, es sind in eurer Mitte Seelen,
Die sich mit dem Gedanken an mich quälen
Und wieder andre, die mit bittren Tränen
Mein Kommen sich als höchstes Glück
    ersehnen.
Dem einen wie dem andern muss ich sagen,
Ihr langweilt mich. Hört auf mit eurem
    Klagen.
Ich komme dann zu euch, wenns mir
    gefällt.
Gebraucht die kurzen Stunden dieser Welt,
Lebt sie bewusst, damit sie euch bekommen.
Ich hab die Conference übernommen,
Um euch die Zeit ein wenig zu verkürzen
Und sie mit meiner Künstlerschar zu würzen.
Sie sind die Welt. Wie sie sich heut als Bild
Uns zeigt. Großsprechend, blutig, wild

Und doch so arm. Vom Leben weit entfernt
Sie haben nichts als Mord und Raub gelernt
Und Sterben. Was sie tun, ist gräulich,
Im Grunde find ich es ganz abscheulich.
Doch was als Wirklichkeit schwer zu ver-
    dauen,
Soll als Symbol die Seele euch erbauen,
Und weil ihr leidet, seufzt, ergeht die Bitt
An euch, ihr Lieben, spielet kräftig mit.
Verwandelt euch aus starren Marionetten
In Menschen, die sich in die Handlung retten.
Ergreift die Tat! Und seis auch nur im Spiel,
Ich wette, dass es euch am Schluss gefiel.
Agiert und spielt. Dann ist schon viel getan.
Am Ende sieht der Tod euch lächend an.
Theater alles und um zehn vorbei.
Der deutschen Wache mach den Platz ich
    frei.

Deutsche Wache: *(alle verwundet)*
Wir sind so schlecht nicht, wie wir scheinen,
O merkt euch das.
Wir führen aus, was andre meinen,
Ganz ohne Hass.

Wir haben selbst nichts auszusetzen,
Doch niemand fragt.
So müssen wir Gehetzte hetzen,
Weils dort behagt.

Es ist von euch doch nichts zu sagen,
Was anders ist.
Ihr weint und schreit, wenn wir euch schlagen
Wie jeder Christ.

Von euren Mädchen schmeckt das Küssen
Besonders gut.
Wir quälen euch, weil wir es müssen
Oft bis aufs Blut.
Wir schicken euch ins ferne Polen
Ganz unbekannt.
Wir tun es, weil es uns befohlen
Der Kommandant.

Wir kämpfen gegen eure Horden
Mit blanker Wehr.
Doch wenn ihr kneift, gibts nur ermorden,
Das fragt die Ehr.

Wir kämpfen gegen Fraun und Greise.
Jedem sein Teil.
Und nach dem Sieg ertönt die Weise:
Dreifach Siegheil.

Tod: Sieh, Publikum, das war der erste Chor,
Noch etwas zögernd brachte er hervor,
Was er zu sagen hat. Und sehr wahrscheinlich
Ist ihm das Rampenlicht ein wenig peinlich.
Soldaten sinds. Verwundet, dekoriert.

Sie fühlen sich als Wächter degradiert,
Doch tragens schweigend wie es Mannes
    Pflicht,
Denn der Soldat erhebt die Stimme nicht.
Er schweigt und dient. Verkauft mit Haut
    und Haar
Hat er sich seinem Führer und der Schar,
Die ihn umgibt. Verkauft mit Seel und Blut
Dem Tapferen fehlt zur Freiheit doch der Mut.
Doch nahen sich schon andere Gesichter.
Seelenverkäufer, dunkelstes Gelichter,
Tagscheue Diebe. Zehrer von dem Weh
Die anderen: Kolonne vom S.D.

Kolonne vom S.D.:

    Wenn andre Menschen schlafen
    Auf ihren Ruhekissen
    Die Bösen und die Braven
    Mit ruhigem Gewissen,

    Dann schlägt für uns die Stunde.
    Mit Stapel von Papieren
    Beginnen wir die Runde.
    Wir klopfen an die Türen.

    Die Menschen in den Betten
    Sie fürchten sich und zittern,
    Sie wollen sich noch retten.
    Das kann uns nicht erschüttern.

Wir saufen ihre Weine,
Wir fressen ihre Kuchen.
Wir nehmen ihre Scheine.
Wir wühlen und wir suchen

In ihren Kostbarkeiten.
In Fächern und in Kästen.
Wie herrlich sind die Zeiten,
Um unsern Bauch zu mästen.

Wenn voll sind unsre Taschen,
Versiegt die reiche Quelle,
Wenn gar nichts mehr zu naschen,
Dann gehts zur Sammelstelle.

Sorgfältig registriert,
Quittiert und abgetragen.
Per Stück wird honoriert.
Es lebe das freie Jagen.

Während der letzten Strophe ist der Hauptsturmführer, gefolgt vom Sprecher des Judenrates aufgetreten und durch die Zuschauer bis zur Bühne gegangen.

Sprecher: Herr Hauptsturmführer, der Mann hat sich sehr verdient gemacht.

Hauptst.: Ach, was ihr so verdient nennt. Scheiße.

Sprecher: Er ist der einzige Facharbeiter seiner Branche, den wir hier noch haben.

Hauptst.: Soll in Polen sein Fach ausüben.

Sprecher: Die Frau ist hochschwanger, Herr Hauptsturmführer.

Hauptst.: Hat ihr jemand geraten ein Kind zu bekommen? Ich will davon nichts mehr hören.

Sprecher: Kennen Herr Hauptsturmführer den Witz: Zwei Juden sitzen sich gegenüber in der Eisenbahn …

Sie gehen nach hinten, man versteht nichts mehr.

Frau: Sie sprechen über uns. Der Deutsche lächelt.

Mann: Vielleicht lässt er uns frei, bis du das Kind hast.

Frau: Er sieht so jung und freundlich aus.

Mann: Sicher wird alles gut.

Hauptsturmführer und Sprecher sind wieder nach vorn gekommen.

Sprecher: Herr Hauptsturmführer, hier ist diese Familie.

Hauptst.: *(Bleibt gelangweilt stehen)* Warum haben Sie denn ein blau geschlagenes Auge? Haben sich drücken wollen, was?

Mann: Herr Führer, Herr Oberführer, es ist, es kommt daher, weil …

Hauptst.: *(scharf)* Sie haben zu schweigen, wenn ich mit Ihnen spreche.

Frau: Herr Hauptsturmführer, ich erwarte in Kürze mein erstes Kind.

Hauptst.: Tja, liebe Frau, das ist sehr bedauerlich. Das haben Sie nicht sehr geschickt ausgesucht.

Frau:	Herr Hauptsturmführer, wenn ich nach Polen muss, dann werd ich sterben und das Kind auch.
Hauptst.:	*(Sieht sie betroffen an, dann im Weitergehen zum Publikum)* Es sterben Hunderttausende. Kommt ja auf ein paar mehr oder weniger gar nicht an. Scheiße.

Ab, gefolgt vom Sprecher des Judenrates.

| Frau: | *(sehr leise)* Herr Hauptsturmführer! |

Tod:	Die schaffen mir die großen, fetten Bissen,
	Sie treiben mir die schönste Beute zu.
	Glatt, kalt und elegant. Und wissen
	Sie auch nicht ganz genau warum, so doch wozu.
	Wenn einstmal sie sich meinem Winke beugen
	Und sagen dann:
	Wir haben nur gemusst
	Und nichts geahnt. Ihr alle wart hier Zeugen:
	Sie tatens gern, sie taten es bewusst.
	Sie tatens feige mit dem Mut im Munde,
	Sie tatens ehrlos, spielten sich als Held.
	Geduld mein Publikum, es kommt die Stunde,
	Da stehn sie einsam gegen eine Welt.
	Kein Führer hilft, kein Gottesgnadentum,
	Verantwortung trägt jeder nur allein.
	Ihnen Vergessen. Doch euch bleibt der Ruhm
	Die Überwinder ihrer Tat zu sein.

Verschleppte Juden:

Jahrhundertelang wälzt sich unser Heer
Über endlose steinige Straßen.
Wir wissen kaum die Stunde mehr,
Wo wir die Not vergaßen.

Immer geschlagen, gekreuzigt, verbrannt,
Sind wir Gottes liebste Kinder.
O, hätte er uns aus der Gnade verbannt,
Vielleicht litten wir dann minder.

Immer verfolgt und immer verjagt,
Verbannt von menschlichen Zelten,
Beten wir zu dem, der uns plagt:
Lass uns einmal auch vergelten.

Schenk uns Mord. Lass uns dein Schwert
In den nackten Händen halten
Endlich gib, so lange entbehrt
Deinen Segen unserm Walten.

Lass uns Mehrheit sein und Macht,
Das Volk, der Pöbel, die Menge.
Gib wieder uns die alte Pracht
Erlös uns aus der Enge.

Namenlos über Welt und Zeit
An des Lebens geheimen Quellen
Thront er. Doch voll Barmherzigkeit

Ließ er unsre Seelen erhellen.

Wo die anderen enden, ist unser Beginn,
Wir verstehen, wo sie verhöhnen,
Vielleicht ist Gerechtigkeit unser Sinn,
Dass wir die Menschheit versöhnen.

Wir ziehen die Straße wie es Gott gefällt,
Verflucht, gehetzt und zerrissen.
Wir sind sein Ruf an seine Welt.
Wir sind der Welt Gewissen.

Tod: Das dunkle Pathos klingt mir noch im Ohr
Und lockt ein Lächeln höchstens mir hervor.
Sie sehn sich selbst und auch die Welt nicht
richtig.
Gott nimmt sie keinesfalls so wichtig.
Sie überschätzen sich in eitlem Wahn.
Mag sein, es ist ein Körnchen Wahrheit dran.
Und ohne Überschätzung muss man fragen,
Wie würden sie es überhaupt ertragen?
Auch will ich sie vor euch nicht kritisieren
Ihr würdet sonst den letzten Mut verlieren.
Im Gegenteil, ich zeig euch neue Scharen,
Die auch nicht immer glücklich sind und
waren.
Ihr seids allein nicht, tragt ihr noch so
schwer.
Es ist der Menschheit riesengroßes Heer,

Das weint und stöhnt, das leidet und das
   schreit
Von jeher bis in alle Ewigkeit.
Es ändert nichts sich. Menschen kommen,
   gehen,
Geburt und Tod, ein dauerndes Verwehen.
Sucht gierig nicht nach eures Dasein Sinn
Nehmt dankbar und in Demut Leben hin.
Viel Leid und wenig Lust. Und doch be-
   sehn,
Am Ende finden es die meisten schön.
Bevor, o Publikum, du aufbegehrst
Gegen dein Schicksal, hör die andern erst.
Such dir in ihren Leiden Trost und Rat.
Als erster kommt der deutsche Frontsoldat.

Deutscher Frontsoldat:

Wir waren jung. Den Lorbeer vieler
   Schlachten –
Was scherte uns die Not –
Wir schon auf unsern heißen Schläfen
   dachten.
Heil Hitler, heil der Tod!

Wir waren jung. Man hat uns ganz betro-
   gen
Um unser eignes Teil.
Den alles, was sie sagten, war gelogen.
Heil Hitler. Deutschland heil!

213

Tod: Doch nicht nur Deutschlands Söhne sind
            gefallen.
            Hört es aus allen Völkern klagend schallen:

Tote Soldaten aller Völker:
            Glaubt ihr, ihr seid allein gestorben
            Und unsere Wunden schmerzen nicht?
            Wir waren jung. Auch uns hat man ver-
               dorben.
            Wann endlich kommt das große Weltgericht?
            Wir sind von tausend Müttern tausend
               Söhne.
            Wisst ihr, warum wir tot nun sind?
            Sie weinen viel. Dass man sie dran gewöhne,
            Dass sie jetzt Brust und Schoß sind ohne
               Kind.
            Warum hat man, zum Teufel, uns geboren?
            Hat man schon je erfasst den Sinn?
            Zum Massengrab hat man uns auserkoren.
            Es gähnt auch anderswo als in Katyn.

Alle toten Soldaten:
            Lasst euch den Geist nicht verwirren vom
               Sieg,
            Keinem ist langes Glück beschieden,
            Schwer ist das Leben, schwerer der Krieg.
            Genug des Mordens, gebt uns Frieden!

Tod: Sie sind verbittert, will mir scheinen.

Allzu früh nahm man ihnen das Leben.
Lasst ihre Mütter sie beweinen.
So was hat es schon immer gegeben.
Immer mussten die Knaben sterben,
Wenn die Führer gierig nach Macht,
Sich, um die Armen zu beerben,
Wieder neue Götter erdacht.
Schlecht war es immer. Zu hunderten Malen
Hörte ich diese Melodie.
Das Volk musste für die Großen bezahlen.
Schlecht war es immer. Doch schlechter nie.

Zwei Jungen vom Judenrat sind aufgetreten und unter der Rampe stehen geblieben.

1. Junge: Hast du gehört, der Hauptsturmführer hat befohlen, man soll den Mann nach der Vorstellung wieder in die Zelle sperren.

2. Junge: Da werden sie ihn wieder schlagen.

1. Junge: Ich kann ihm nicht helfen. Er ist schon viel zu viel aufgefallen. Morgen beim Transport muss er dabei sein.

2. Junge: Die Frau könnte man vielleicht herausschieben.

1. Junge: Sie hat keine Papiere mehr.

2. Junge: Doch, sie ist schlau. Als man sie packte, gelang es ihr, den gefälschten Ausweis unter die Kleider zu schieben.

1. Junge: Aber wird sie sich von dem Mann trennen wollen?

2. Junge: Wenn sie nicht will, muss man sie überreden um des Kindes willen.

1. Junge: Kannst du diese Verantwortung übernehmen?

2. Junge: Die Verantwortung will ich tragen. Ich will nicht, dass diese Frau mit dem ungeborenen Kind in den sicheren Tod geht, bloß weil ich zu feige war, eine Entscheidung zu treffen. Von zwei Übeln wähle ich das Kleinere – führt es zum Schlechten, habe ich doch getan, was ich konnte.

1. Junge: Wenn der Hauptsturmführer ihr Fehlen bemerkt, gehst du auf Transport.

2. Junge: Einmal muss man auch einstehen können für andere. Die Sicherheit, die wir noch haben, verpflichtet.

1. Junge: Und deine Eltern, die du durch deine Arbeit hier schützst?

2. Junge: Irgendwo liegen die Grenzen für jede Sicherheit. Du würdest dein Leben und das deiner Frau auch nicht mit Spitzelei erkaufen. Ich kann mich nicht hinter meinem Gewissen als Sohn verstecken, um hier zum Feigling zu werden.

1. Junge: Es müsste auf jeden Fall noch heute sein.

2. Junge: Gleich nach der Vorstellung. Durch den Gepäckgang.

Beide ab.

Tod: Klagend und traurig. Elend anzuschauen

Das Riesenheer allein gelassener Frauen.

Frauen: Zwölf Stunden hat jede Nacht
Zwölf Stunden hat jeder Tag,
Wir haben geweint und gewacht,
Wir sind wie ein Herz ohne Schlag.

Wir schreien zum Himmel um Gnad
Doch Gott bleibt kalt und stumm.
Wir wissen uns keinen Rat.
Warum, warum, warum?

Wir sind allein ohne Mann.
Wir verloren den rechten Pfad.
Es ist nicht mehr viel an uns dran.
Wir sind zu müde zur Tat.

Wie waren wir stolz in der Pracht.
Glückselig, jung und dumm.
Was hat man aus uns gemacht?
Warum, warum, warum?

Der Tod hält große Mahd.
Wie wuchtig schwingt sein Arm.
Der uns die Seel zertrat,
Erbarm dich uns, erbarm!

Unsere Lippen murmeln die Frag,
Durch die Welt, durch die Zeit, um und um,

Bis zu dem jüngsten Tag:
Warum, warum, warum?

Tod: Lasst sie in der Versenkung weiter weinen.
Sie sind ein Teil nur. Und es will mir scheinen,
Die Wache blickt schon mahnend nach der
    Uhr.
Es blieb uns eine kurze Spanne nur.
Die, welche wir bis jetzt euch konnten zeigen
Waren die Kleinen. Doch in diesen Reigen
Der Sterblichen gehören auch die Großen,
Die Mächtigen, Ehrgeiztrunknen, Hoff-
    nungslosen,
Getriebene Treiber, freudentwöhnte Schürer
Der Kriege. Von verführtem Volk gewählte
    Führer.

Führer: Ich bin der Übermensch. Von Gott gesendet
Steh ich allein für Deutschland Wacht.
Faulen Frieden habe ich beendet.
Jetzt bin ich an der Macht.

Ich bin der Übermensch. Rassenverschworen,
Vater des Krieges, Bruder der Nacht,
Dir, mein Volk, vom Schicksal auserkoren.
Jetzt bin ich an der Macht.

Ich bin der Übermensch. Was an Kulturen,
Vor mir an Freiheit gelebt und gedacht

Habe ich ausgelöscht, bis auf die Spuren.
Jetzt bin ich an der Macht.

Ich bin der Übermensch. Rächer und Richter.
Gott hat mich in seinem Zorn gemacht.
Ich bin Führer, Staatsmann, Feldherr, Maler,
Dichter.
Jetzt bin ich an der Macht.

Ich bin der Untermensch der Pyramide.
Seht das Spiel der Muskeln, welche Pracht,
Baut auf mich, dann baut ihr sehr solide.
Jetzt bin ich an der Macht.

Tod: Mein Führer, sag ichs doch zur rechten
Zeit,
Das Fundament der Pyramide, das ist breit.
Willst du jedoch, dass man dich gut benütze.
So taugst du besser, dünkt es mich, zur
Spitze.

Führer: Wer bist du, der zu kritisieren wagt
An unserm Plan, so gänzlich ungefragt?
Der Plan, der programmatisch, ist fixiert.
Was scherts mich, ob ganz Deutschland
dran krepiert?
Du hast mich fast aus dem Konzept
gebracht.
Du Stümper. Jetzt bin ich an der Macht.

Tod: Verzeih, mein Führer. Tu, was dir gefällt.
Stell auf den Kopf die ganze schöne Welt
Und fühle nicht, wie sie erschüttert bebt,
Vernichte alles, was in Frieden lebt,
Mach honigsüß den gallenbittren Leim.
Am Ende fällst du mir ja doch anheim.

Führer: Versteh nicht recht, wovon du phantasiert.
Tod: Macht nichts. Ich will, dass du dein Stück probierst.
Führer: Ich bin die Macht. Doch kann ichs nicht allein.
Tod: So geh und hol die andern mit herein.
Führer pfeift, die Minister, Funktionäre und SS-Offiziere kommen.

Führer: Kommt herbei, auf mich zu steigen,
Übermensch als Untermann,
Meinen Feinden will ichs zeigen,
Was ich alles weiß und kann.

Minister: *(steigen auf die Schultern des Führers)*
Wackeln wir, was tuts am Ende
Wir sind des großen Mannes Knecht.
Kommt herbei, wie wir behende.
Unser Führer, der machts recht.

Funktionäre: (mehr als die Minister, steigen auf deren Schultern)

> Lustig ists zu balancieren
> Hat man auch in Luft gebaut.
> Denn was kann uns schon passieren.
> Heil dem Führer. Ihm vertraut!

SS-Offiziere: (mehr als die Funktionäre, steigen auf deren Schultern)

> Sportlich sind wir sehr erfahren,
> So gelangen wir hinauf,
> Drohen uns auch hier Gefahren,
> Unser Führer hält sie auf.

Führer: Kommt herbei, auf mich zu steigen!
> Volk, vertraue meiner Kraft.
> Herrlich ist es, hier zu zeigen,
> Was der starke Wille schafft.

Volk tritt auf und beginnt an der Pyramide zu zerren.

Volk: Stehn wir noch in eurem Schatten,
> Können wir doch nimmer ruhn,
> Bis wir über euch, ihr Satten.
> Unser Führer wirds schon tun.

Minister, Funktionäre und SS-Offiziere:

> Ach, wie wird an uns gezogen,
> Dass uns alle Lust vergeht.
> Wir ertrinken in den Wogen,

221

Wenn der Führer jetzt nicht steht.

Führer: Kommt herbei, auf mich zu steigen.
           Doch was fällt da um mich her?
           Nicht mehr fallen! Ach ihr Feigen!
           Elend Volk! Ich kann nicht mehr.
*Während der letzten Worte ist die Pyramide mit lautem
Krachen in sich zusammengefallen.*

Tod: Hat es die Last auch des schwersten
            Gewichts,
            Seht ihr, am Schlusse fällt es doch ins
            Nichts.
            Am Ende sind wir fast. Nur einen Chor
            Ruf ich euch noch zu kurzem Wort hervor.
            Sie weinen nicht. Doch rühren sie nicht
            minder
            An unsere Herzen. Hört, es sind die Kinder.
Die ganze Bühne hat sich mit Kindern gefüllt.

Kinder: Wenn alle Kühnheit hätten
           Und Phantasie,
           Könnten sie uns noch retten.
           Doch das geschieht fast nie.
           So müssen wir verderben
           Für Macht und Geld.
           Lasst uns nicht länger sterben,
           Baut uns die neue Welt.
           In die Scheide mit dem Messer,

Geht schnell zurück.

Macht es doch endlich besser.

Gebt Leben uns und Glück.

Während der letzten Strophe hat der 2. Junge vom Judenrat sich der Frau genähert und auf sie eingesprochen.

Frau: Ich kann nicht, ich will nicht.

Mann: Denk an das Kind.

2. Junge: Nur schnell. Sie sind auf der Bühne fertig. Wir müssen eilen.

Mann: Sei vernünftig.

2. Junge: Sei vernünftig.

Frau: Für das Kind. Was ist mir das Kind, das ich noch nicht kenne?

2. Junge: Ihr könnt doch nicht zusammenbleiben. Komm mit, aber ohne Aufsehen, ohne Abschied.

Frau: *(leise)* Gott schicke ein Feuer und verbrenne die ganze Welt.

Mann: *(leise)* Wir sehen uns wieder, Liebste.

2. Junge: *(Zu den Nächstsitzenden)* Der Frau ist schlecht geworden. Ich muss sie an die frische Luft bringen.

Frau erhebt sich starr. Dunkel. Ganz entfernt viele Stimmen:

Lasst euch den Geist nicht verwirren vom Sieg

Keinem ist langes Glück beschieden,

Schwer ist das Leben, schwerer der Krieg.
Genug des Mordens, gebt uns Frieden!
Während des Chors verwandelt sich der Hintergrund zu
einer heiteren Landschaft. Die Frau sitzt aufrecht und
hält das Kind im Arm. Ihr nahen sich langsam die hei-
ligen drei Könige.

Frau: (singt)
          Schlaf mein Kleiner, träume,
          Um dich stehn goldne Bäume,
          An jedem Zweig, schau an,
          Da hängt ein Sternlein dran.
          Die darfst du alle pflücken
          und dir ins Mäulchen drücken.
          Die schmecken gut, oh fein,
          Und Sahne gibts noch drein.
          Du wirst zum großen Jungen,
          Wenn ich das Lied gesungen.
          Schlaf schnell in tiefer Ruh.
          Gott schaut dir freundlich zu.

Der junge König:
          Ganz leise nahn wir uns zu frommem Gruß,
          Du Schlafender, der noch nichts ahnt vom
              Leben.
          Drei Könige neigen schmeichelnd sich zum
              Kuss,
          Um ihren Segen knieend dir zu geben.

Der mittlere König:

>Zu Hause, weit entfernt von diesem Ort,
>Vernahmen wir, dass du in Not geboren.
>Hör Knabe, zärtlich preisend klingt das Wort,
>Mit dem wir dich im Herzen auserkoren.

Der alte König:

>Und innig segn' ich dich mit alter Hand,
>Gebenedeit. Ein Mensch ist hier gekommen.
>Die neue Kunde töne durch das Land,
>Die freudge Botschaft dringe zu den
>>Frommen.

Alle drei: Aus Elend wachse mutig in die Zeit,
>Aus tiefster Not kommt neue Mächtigkeit.

Der junge König:

>Den besten Wunsch raun ich zu deinem
>>Ohr
>Geheimnisvoll. Du musst ihn gut verstehen.
>In künftgen Tagen flammend brichts her-
>>vor:
>Der Freiheit Glänzen wirst du wieder sehen.

Der mittlere König:

>Gesundheit wünsch ich dir und großen Mut
>Gesegnet sei. Wachs auf in Kraft und Stärke.
>Sei keinem Diener. Rette dir die Glut
>Des kühnen, freien Geistes in die Werke.

Der alte König:

> Sie sprechen dir von Kraft und freier Tat
> Du Winziger, den noch kein Tag umschrieben.
> Wir alle säen. Aufgehn wird die Saat.
> Als bestes Saatkorn wünsch ich dir: zu lieben.

Alle drei: Dein Dasein wende glücklich sich aus Spott
> Zu hellem Glanz. Denn auch in dir ist Gott.

Der Tod kommt und tritt hinter die Frau.

Tod: Ich komme dir ganz sanft. Erschrecke nicht.
> So oft gewünscht, kann ich dich jetzt erhören.
> Sieh mutig meiner Maske ins Gesicht,
> Um hinter ihr die Wahrheit zu beschwören.
> Die eine Form des Seins, das Leben hier,
> Euch darstellt nur. Du siehst durch mich
>   die zweite,
> Die milder, schattenloser, frei von Gier
> Und Ehrsucht. Tote schauen weit ins Weite.
> Sie träumen. Denn sie sind ganz seltsam
>   leicht
> Wie Schlaf und Rauch. So sehr in sich
>   gewendet,
> Dass zärtlich Flehen sie nicht mehr erreicht,
> Doch Liebe strömend ewig sich vollendet.
> So mitleidsvoll neig ich mich deinem Schmerz
> Und zieh dich zart und liebend an mein
>   Herz.

Er beugt sich über sie. Dunkel. Szene wie im ersten Bild.

Arzt: Es ist zu Ende.

Bauer: Friede ihrer Seele.

Arbeiter: Wieder ein Leben, welches die Rechnung größer macht.

Bauer: Es wird schon dunkel. Ich muss eilen. Gebt mir das Kind.

Der Arzt reicht ihm das Kind. Währenddessen beginnen die Glocken zu läuten.

Arzt: Hört ihr da draußen die Weihnachtsglocken läuten?

Bauer: Friede auf Erden.

Arbeiter: Ja, aber keinen Tag früher, eh wir ihn uns nicht mutig selbst verdienen.

DER KRIEG IST ZU ENDE

Das Blatt hat sich gewendet. Stalingrad war ein Anfang. Im Juni 1944 landen die Alliierten in der Normandie. Wir warten auf das Ende des Krieges, das ist, wenn man nicht gerade selbst von Granaten und Bomben bedroht wird, ein langweiliger Zustand. Man wartet und kann sich doch nicht recht vorstellen, wie es sein wird, wenn das Erwartete eintrifft.

Herbert sagt ab und zu: «Wir werden doch alle drei nach dem Kriege zusammenbleiben.»

Ich schweige, denn gerade das will ich auf keinen Fall. Was aber will ich? Das eine weiß ich ganz bestimmt: ein eigenes Leben führen, als Voraussetzung dafür ein eigenes Zimmer haben. Wo aber soll das Zimmer sein? In Holland? England? Amerika? Der Gedanke, es könnte auch in Deutschland sein, kommt erst ganz spät dazu. Ich wage ihn nicht zuzulassen, so lange die Deutschen nicht endgültig besiegt sind. Die Offensive gerät ins Stocken. Man wartet. Träumt sich im Warten etwas zurecht. Einen schönen, einen gerechten Frieden, Demokratie überall auf der Welt. Lebbare Zustände für alle Menschen. Als ob es so etwas gäbe. Doch man träumt. Schlürft die Nachrichten von BBC und Radio Oranje in sich hinein. Manchmal, einer Fata Morgana gleich, taucht Zukunft auf. Der

Krieg bewegt sich kaum vom Fleck. Wir warten. Warten ist langweilig. Es werden keine Juden mehr geholt – seit September 1944 sind auch die letzten Lager leer, alle Häftlinge nach Deutschland deportiert. Und die Untergetauchten (es sollen gegen zwanzigtausend gewesen sein) verhalten sich still. Nur Ilse wird durch das dumme Geschwätz eines Freundes verraten und nach Theresienstadt deportiert, von wo sie bald nach dem Krieg zurückkommt. Jetzt weiß ich nur, dass sie fort ist.

Mitte September erreichen britische Truppen die südlichen Niederlande. Doch der Krieg ist immer noch nicht zu Ende. Alles wird schwieriger. Alles wird knapper. Vera, die eine recht gute Köchin ist und bisher aus fast nichts irgendetwas gezaubert hat, kann nichts mehr machen. Es gibt nur noch schmale Brotschnitten. Vom Frühstück an denke ich, wann und wie viel wird es zu Mittag geben. Hungerphantasien. Es ist ganz gut, dass man einmal gespürt hat, wie Hunger tut. In der Zukunft wird man nicht mehr so leichtfertig darüber sprechen wie in der Vergangenheit.

Wir haben kein Heizmaterial mehr für unser eisernes Öfchen. Und der Winter steht vor der Tür. Ich gehe mit Herbert auf den Speicher. Da ist eine schöne, solide Türe. Wir heben sie aus den Angeln, und ich beginne sie in viele kleine Stücke zu zersägen, die wir in unseren Ofen schieben können. Oder in noch kleinere, die wir auf dem Ofen unter eine Konservendose schieben, um darin die harten Zuckerrüben, beinahe das Einzige, das man noch kaufen kann, zu kochen, eine nervtötende Arbeit. Vera geht manchmal auf die Straße (ich darf es nicht) und sagt als Abschied zu mir: «Koche die Rüben.» Dann gibt es auch keinen Strom und keine Kerzen mehr. Es ist einer der kältesten Winter. Ich tausche Mutters Perlenkette gegen Petroleum für unsere einzige Lampe ein, was Mutter mir später merkwürdigerweise übel nimmt. Wenn einer aufs Klo geht, nimmt er die Lampe mit, und die beiden anderen sitzen im Dunkeln. Der Stromausfall ist für mich das Schlimmste: Ich kann nicht mehr lesen. Wir sitzen herum. Stellen Möbel um und reden über Politik, wobei Herbert und ich uns oft streiten, er will die dunklen Flecken, die auf dem von ihm noch immer bewunderten Russland liegen, nicht sehen. Die Radionachrichten fallen ohne Strom weg, wir sind auf die illegalen Blättchen und Gerüchte angewiesen.

Während ich die Türe zersäge, kommt mir der Gedanke, dass die Speichertreppe der einzige Ort ist, an dem ich allein sein könnte. Und schreiben kann ich nur, wenn ich völlig allein bin. Hell genug ist es hier oben. So sitze ich viele Stunden auf der Treppe, ein Heft auf den Knien und schreibe. Schreibe eine Liebesgeschichte, schreibe Edgars und meine Geschichte, die ich verfremdet und aus der Atmosphäre des Autobiografischen gehoben habe.

Eines Tages ist der Krach mit Herbert so groß, dass ich zu seinem und Veras Erstaunen meinen Koffer packe und gehe.

Ich weiß, bei wem ich untertauchen kann. Sonst wäre ich nicht so spät noch ausgerissen. Ich habe eine Freundin, die Elisabeth heißt, eine deutsche Jüdin. Sie war mit einem linken deutschen «Arier» verheiratet und hat von ihm ein Kind. Die Ehe ging nicht gut, sie ließen sich scheiden, ein Schritt, der ihm wahrscheinlich das Leben kostete, denn als Mann einer Jüdin wäre er kaum zum Militär eingezogen worden. Zunächst wurde er als Flüchtling von der Gestapo verhaftet und kam ins Gefängnis, woraus ihn die Wehrmacht holte und an die Ostfront schickte, wo er bald für seinen Führer fiel. Er hatte in Amsterdam eine Freundin zurückgelassen, die ihn so sehr liebte, dass sie ihren neuen Freund zwang, das gemietete Zimmer des Gefallenen weiter zu bezahlen. In diesem Zimmer lebt Elisabeth inzwischen – das Kind hat sie bei Leuten auf dem Lande versteckt –, und in dieses Zimmer ziehe ich mit meinem Koffer ein. Es ist ein Parterreraum, der auf einen winzigen Garten hinausgeht, in dem ein Magnolienbäumchen steht, das, als es im Frühjahr zu blühen beginnt, mein ganzes Entzücken ist. Hier lebe ich in den letzten Wochen des Krieges. Ich bin jetzt ein freier Mensch und kann tun, was ich will.

Einmal, es muss am 1. oder 2. Mai 1945 gewesen sein, gehe ich zu Anna, meiner aus Deutschland stammenden Zugehfrau, die Schmuck und Wäsche für mich aufgehoben hat, obwohl sie mit einem holländischen Nazi verheiratet ist. Unterwegs sehe ich, dass es ein Extrablatt gibt, um das die Menschen sich raufen. Also raufe ich mit und habe das Blatt bald in der Hand. In dem steht, dass Hitler an der Spitze seiner Truppen gefallen sei. Meine Hände zittern: jetzt ist es soweit.

Als ich zu Anna komme, sind dort zehn oder zwölf Menschen versammelt, sitzen um eine Kommode herum, auf der eine Hitlerbüste steht. Ich komme herein, zeige auf meine Zeitung und sage noch immer erregt: «Hitler ist tot.» – «So», sagt eine Frau, «der Hitler ist tot.» Das ist alles. Keine weitere Reaktion.

Ich muss an den alten Witz denken: Zwei Juden treffen sich in New York. Der eine sagt: Ich möchte ihn mit meinen eigenen Händen erwürgen. Rädern oder vierteilen wäre vielleicht noch besser. Der andere dagegen: Nichts von alledem, ich wünsche mir nur, durch den Central Park zu gehen, und auf einer Bank sitzt unbeachtet ein alter, heruntergekommener Mann. Ich schaue genauer hin und sage dann für mich hin: Nebbich, der Hitler.

Und so wird dieser Witz für mich Realität unter der Hitlerbüste.

Am nächsten Abend gehe ich auf die Straße. Aus dem Nebenhaus ruft eine Frau vom ersten Stock herunter: «Der Krieg ist aus.» – «Woher wissen Sie das?» – «Der Deutschlandsender sendet nicht mehr.» Ich finde das keinen schlüssigen Beweis und gehe weiter, Richtung Innenstadt. Da kommt ein *SS*-Mann und schreit: «Wenn Sie nicht sofort nach Hause gehen, erschieße ich Sie.» Das möchte ich an diesem Abend wirklich nicht, kehre um und gehe zurück in mein Zimmer.

Am Morgen des 5. Mai ertönt von der nahe gelegenen Westerkeerk die holländische Nationalhymne. So ist es wahr, die Deutschen haben in Holland kapituliert. Ich nehme meinen Gang vom Abend wieder auf, kaufe ein paar Blumen, um sie Herbert und Vera zu bringen, gehe über den großen Platz vor dem Paleis. Auf der einen Seite ist ein Clubhaus, in dem noch *SS* verschanzt ist, auf der anderen Seite war ein Propagandaladen der *SS*. Ich habe mir immer gewünscht, dort die Scheiben kaputtzuschmeißen, das haben andere jetzt gemacht. Die Toten sind schon weggebracht, aber auf dem Trottoir sind zwei große Blutlachen. Da wird mir klar, dass dies das einzige Blut ist, das ich während des ganzen Krieges gesehen habe.

Ich möchte so schnell wie möglich Mutter zurückholen. Holland ist vor allem von den verbündeten kanadischen Truppen befreit worden, und Mutters Untertauchwirtin wünscht sich glühend einen Kanadier im Haus. So lange Mutter dort ist, gibt es nicht genug Platz. Also muss sie so schnell wie möglich weg. Aber wie? Es gibt keine Verkehrsmittel. Ich leihe mir Annas Rad. Jetzt ist ja keine Gefahr mehr, dass es mir weggenommen wird. Es hat statt eines Gepäckträgers ein kleines Brett. So radle ich die 12 km bis zu Mutters Untertauchplatz und sage ihr, sie müsse sich auf das Brett setzen und beginne sie Richtung Amsterdam zu schieben. Sie ist leicht, hat erschreckendes Untergewicht, aber ich sehe bald, dass ich sie die 12 km nicht schieben kann, denn ich bin auch ziemlich geschwächt. Ich probiere also aufzusteigen. Sie protestiert heftig. Ich erkläre ihr, dass sie sich an mir festhalten muss, was sie unter heftigem Schimpfen auch tut. Ich will sie zu Greet bringen, wo sie zunächst wohnen kann. Einmal kommt uns ein Mann entgegen, der uns vor der Innenstadt warnt, weil dort noch immer geschossen werde. Also versuche ich es über den Westen, obwohl ich weiß, dass ich mich da nicht gut auskenne. Mutter hockt weiter auf ihrem Brett, hält sich an mir fest und schimpft. Leider merkt sie, dass ich mich etwas verfahren habe. Als wir an die Nordspitze des Vondelparks kommen, fallen ein paar Gewehrschüsse, und ein Widerständler ruft aufgeregt: «Weitergehen, Hände aus den Taschen.» Ich lasse Mutter absteigen, schiebe das Rad weiter und sage: «Erschrick nicht, es ist möglich, dass wieder geschossen wird.» Sie sagt darauf entrüstet: «Ich habe doch vor dem Schießen keine Angst. Ich habe während des ganzen Kriegs keine Angst gehabt, nur vor dem Rad, da fürchte ich mich.»

Der Krieg ist zu Ende. Mutter wohnt inzwischen bei Greet. Ich noch immer im Parterrezimmer mit der

Magnolie, aus dem Elisabeth freilich bald auszieht. Sie hat ihre Tochter wieder bei sich, zu dritt ist das Zimmer zu eng. Elisabeth will in Holland bleiben und findet bald eine eigene Wohnung. Es wird nicht mehr gekämpft, doch wir sind noch abgeschnitten von der Welt.

Im Herbst 1944 habe ich zuletzt über die Schweiz von Walter gehört, danach nicht mehr. Die Theater in Deutschland sind geschlossen, vermutlich wurde er eingezogen, vielleicht ist er in Gefangenschaft, vielleicht gefallen. Ich weiß es nicht. Auch keine Nachricht von Fritz. Es gibt keinen Postverkehr mit England. Jeden Tag steht in der Zeitung, man könne noch nicht nach England schreiben. Mutter sieht das nicht ein, wirft einen Brief in den Postkasten, und dieser Brief erreicht Fritz, der dadurch endlich weiß, dass wir leben und gesund sind.

Als die kanadischen Truppen, die uns befreit haben, in Amsterdam einziehen, stehe ich in der Apollolaan, der breiten Allee im Süden der Stadt. Die kanadischen Panzer sind blumengeschmückt. So viele Kinder hocken und liegen jubelnd auf den Fahrzeugen, dass man vom grauen Stahl nichts mehr sieht.

Die Apollolaan hat weit auseinander stehende Bäume. Auf jedem der beiden, zwischen denen ich stehe, sitzt ein junger jüdischer Holländer. Sie waren untergetaucht und erzählten sich jetzt lautstark ihre Erlebnisse. «Das eine sage ich dir,» schreit der zu meiner Linken, «das Erste, wofür ich sorgen werde, ist, dass die deutschen Juden jetzt endlich aus unserem Land verschwinden.»

Nicht sehr ermutigend, doch ich habe sowieso nicht vor, hier zu bleiben, auch wenn ich jetzt endlich ein eigenes Zimmer besitze. Doch ist es nur ein Provisorium. Immer deutlicher wird mir, dass das wahre eigene Zimmer in Deutschland liegen wird.

Ich will schreiben, deutsch schreiben, in einer anderen Sprache ist es mir unmöglich, und dazu brauche ich eine Umgebung, in der die Menschen Deutsch sprechen.

Ich will nach Hause, auch wenn ich weiß, dass alles, was ich früher geliebt habe, nicht mehr existiert. Ich will dorthin, wo ich hergekommen bin. Das Heimweh ist nicht kleiner, sondern größer geworden in all den Jahren.

Ich will zu Walter, wenn er noch lebt und wir noch so zusammengehören wie einst, das muss ich ausprobieren.

Doch ist mir nicht klar, wie ich mit meinem Pass als Staatenlose über die Grenze kommen kann und noch weniger, wie ich ihn in dem großen, völlig chaotischen Land finden soll.

Elisabeth hat einen Bruder in New York, der mit einem Kommilitonen von mir und Walter befreundet ist. Dieser Freund, so schreibt der Bruder, sei jetzt als amerikanischer Leutnant in Deutschland. Ich bitte

Elisabeths Bruder telegrafisch um die Feldpostadresse des Leutnants und erhalte sie bald. In einem kurzen Brief ersuche ich den Amerikaner, wenn irgendwie möglich, Walter ausfindig zu machen. Da hilft ein Zufall ihm (und damit mir). Er ist in Bad Nauheim stationiert, wohin Walters Vater mit seiner zweiten Frau gezogen ist, nachdem er in Frankfurt ausgebombt wurde. Walter besucht ihn von Zeit zu Zeit, und da trifft ihn der Amerikaner. Walter lebt, ist gesund, abgemagert wie alle Deutschen, war nach Schließung der Theater als Funker eingezogen und nach Dänemark abkommandiert, hat nie einen Schuss gehört, war nach dem Krieg kurz in Gefangenschaft und ist jetzt als Regisseur an der Oper in Darmstadt und auch in Frankfurt. Der Amerikaner versorgt ihn mit Lebensmitteln und Kleidung. Langsam treffen auch wieder Briefe von ihm bei mir ein.

Alles Planen ist sinnlos, solange ich nicht festgestellt habe, ob ich nach diesen furchtbaren Jahren noch mit ihm leben kann.

Zunächst kümmere ich mich um Edgars kleine Firma, um von ihr zu retten, was zu retten ist (die Fabrik in Frankfurt kommt später an die Reihe), gehe jeden Tag hin, fülle Fläschchen ab und verhandle mit Kunden und Lieferanten. Aber auch hier wird mir eines Tages von den Behörden ein Verwalter hereingesetzt, ein netter, sympathischer holländischer Apotheker, der mir nicht viel dreinredet und mich unterstützt, wo er kann. Wir sind ja noch immer «feindliche Ausländer» und können nicht über unsere Konten verfügen. Nach der Schließung meines Fotoateliers habe ich ab und zu etwas Geld durch Edgars Angestellte, seine Sekretärin und einen Prokuristen, bekommen, die jetzt beide nicht mehr dort arbeiten.

Wenn ich nicht in der Firma bin, schreibe ich, schreibe eine Deportationsgeschichte, die ich *Ans Ende der Welt* nenne und einem literarischen Agenten (auch er ein Emigrant) mit nach Deutschland gebe. Er kommt zurück und erzählt, kein Verleger in Deutschland wolle sie haben. Eine erste Enttäuschung. Ich denke: Es kann ja sein, dass die Geschichte nicht gut genug ist, ich war so lange von allem Schreiben entfernt und habe möglicherweise das eigene literarische Urteil verloren. Auf einer zweiten Reise nach Deutschland nimmt der Agent die Geschichte wieder mit, und diesmal findet er einen Verlag: Volk und Welt in Ostberlin. Im Westen wollte wieder niemand sie haben. Aber ich muss noch lange warten, sie wird erst 1949 veröffentlicht. Heute, wo sie längst in Westdeutschland erschienen ist, weiß ich, dass es eigentlich ein Skandal war, dass niemand im Westen sie wollte. Doch noch ahne ich nichts von den Schwierigkeiten, denen ich viele Jahre lang begegnen werde, weil Literatur über dieses Thema unerwünscht ist.

Als ich die Geschichte beendet habe, gehe ich zu einem Freund, der früher in Deutschland Journalist war, um sie ihm vorzulesen. Mitten in meiner Lesung kommt seine Hauswirtin und sagt: «Herr Doktor, ein Herr Frank möchte sie sprechen.» Als sie hinausgeht, um den Besucher zu holen, erzählt mein Freund: «Frank ist ein alter Freund von mir, er war in Auschwitz und hat dort seine Frau verloren.» Es kommt ein ziemlich elend aussehender, nicht großer Mann, setzt sich und fängt gleich an zu plaudern. Plötzlich sagt er: «Ich habe heute erfahren, dass meine beiden Töchter, die von Auschwitz nach Bergen-Belsen gekommen sind, an Typhus gestorben sind.» Sagt es so ruhig, als ob er über fremde Menschen berichten würde. Da ist sie wieder, die furchtbare Ruhe, das Entsetzliche tränenlos hinzunehmen, die ich aus der Schouwburg kenne. Er bleibt nicht lange, ich kann mit der Lesung fortfahren, höre nur, dass die Familie Frank im Nachbarhaus meiner jetzigen Wohnung untergetaucht war und von dort abgeholt und deportiert wurde.

Eines der beiden an Typhus gestorbenen Mädchen hieß Anne. Ich ahne natürlich nicht, wie weltweit bekannt dieser Name bald sein wird.

Fritz kommt, bevor der Linienverkehr mit England eröffnet ist. Er findet eine kleine Militärmaschine, die ihn mitnimmt und irgendwo im Süden Hollands landet. Freudiges Wiedersehen, es hat sich zwischen uns nichts geändert.

Noch 1945 reise ich nach Schweden und in die Schweiz. Nach Schweden, um eine Freundin zu besuchen und um Fritz, der gerade dort ist, noch einmal zu treffen. In die Schweiz zu meinem Vetter Hans aus Nürnberg, der in Kilchberg am Zürichsee wohnt. In beiden Ländern stelle ich fest, dass ich mit Menschen, die nichts oder fast nichts mitgemacht haben, nicht zusammenleben könnte. Von Schweden aus will ich nach Norwegen, wo ich wegen dem *German born* in meinem Staatenlosen-Pass nicht einreisen darf. In der Schweiz werde ich von einem Bekannten von Hans, mit dem wir zusammen ins Engadin fahren und dem ich offensichtlich zu viel erzählt habe, gefragt: «Wie lange war Holland eigentlich besetzt? Wenn Sie erzählen, klingt es, als seien es Jahrzehnte gewesen.» Also nichts mehr erzählen. Schweigen, um Menschen, die höchstens einmal weniger Sprit für ihr Auto bekommen haben, nicht die gute Laune und ihren Glauben an die heile Welt zu nehmen.

Ich kann mit meinem Nansen-Pass ins Ausland fahren, nur nicht nach Deutschland, wo die Alliierten jemanden wie mich nicht einreisen lassen. So suche ich nach einer Gelegenheit, über die grüne Grenze zu kommen. Höre mich überall um, erfahre von zwei holländischen Jungen, die ganz nahe an der Grenze zwischen Holland und Deutschland wohnen, jeden Samstagabend hinübergehen und Leute für hundert Gulden pro Person mitnehmen. Ich rede mit Mu's Freundin Erna, die eine in Mischehe lebende Schwester in Frankfurt hat, die sie gerne besuchen würde.
Wir beschließen, es im September 1946 zu versuchen.

Geld nehmen wir nicht mit, weil wir wissen, dass die Engländer illegale Grenzgänger mit sechs Wochen Gefängnis bestrafen, wenn sie Geld bei sich haben. Doch was sind schon sechs Wochen Gefängnis, wenn man jahrelang in ständiger Todesgefahr gelebt hat? Kein Geld außer den zweihundert Gulden für unsere Begleiter, dafür Zigaretten, mit denen man, wie wir hören, überall in Deutschland bezahlen kann.

Es ist ein schöner Abend. Wir gehen mit den beiden Jungen durch Wald und über Heide. Ich bin glücklich, wieder federnden Moosboden unter den Füßen zu haben, atme tief den Herbstgeruch der gefallenen Blätter ein. Die Jungen machen etwas Theater, denn sie müssen ja zeigen, wofür sie ihr Geld verdienen. Flüstern: «Jetzt kommen wir ins Niemandsland. Leise sein, gebückt gehen, irgendwann sich niederlegen.» An einer Hütte hängt eine brennende Lampe, die machen sie aus, arbeiten also mit anderen zusammen. Mit holländischen Grenzposten? Mit Engländern? Nach drei Stunden (für mich eine Wohltat) sind wir drüben, sie bringen uns zu einem deutschen Bauern und zeigen uns, wo wir uns ins Heu legen können.

Am Morgen erklärt uns der Bauer (in Platt, das eher holländisch als deutsch klingt), wie wir zur Bahnstation kommen. Wir haben keine Ahnung, ob man Fahrkarten kaufen kann. Ohne Geld? Wir legen ein paar Zigaretten hin, bekommen Fahrkarten über Neuß nach Düsseldorf. In Düsseldorf verkaufen wir am Bahnhof weitere Zigaretten, denn wir wollen nicht ohne Geld nach Frankfurt kommen. Wir sind in einem Coupé zusammen mit gackernden Hühner und stinkenden Kaninchen. Stehen lange. Irgendwann macht uns jemand Platz. So kommen wir in Frankfurt an, gehen durch Ruinen nach Sachsenhausen, wo Ernas Schwester wohnt. Erna sagt: «Unvorstellbar, hier leben zu müssen.» Ich denke: Wir werden ja sehen. Die Ruinen bedrücken mich nicht. Sie sind kaputt durch den Krieg. Das bin ich auch. Wir passen gut zusammen.

Wo aber finde ich Walter? Ich weiß, dass er in Frankfurt bei alten Freunden im Westend wohnt, deren Haus heil geblieben ist. Nach der Begrüßung mit Ernas Schwester gehe ich dorthin. Ein Zahnarzt hat seine Praxis in dem Haus, außer ihm ist niemand da. Doch der Zahnarzt erzählt mir, Walter sei gerade in der Stadt, doch ausgegangen. Ob ich warten wolle? Ich habe fünf Jahre gewartet, jetzt ist es nur eine halbe Stunde, doch sie fällt mir schwerer als die ganze lange Zeit. Dann kommt er. Wir sind beide erregt, er ist mager (noch magerer als sonst), hat ein kleines Bärtchen, das ich nicht mag, verspricht aber gleich, es abzunehmen, wenn ich wirklich zu ihm kommen will. Ich habe mir meine sehr grau werdenden Haare (schlecht) gefärbt, was ihm nicht gefällt. Ungefärbte Haare gegen Bärtchen, wir halten es beide ein. «Willst du wirklich kommen?» – «Ich will.» – «Du glaubst, dass du in Deutschland leben kannst?» Ich nicke heftig. «In den Ruinen?» – «Gerade in den Ruinen, sie

243

passen zu mir.» Die Nähe von früher ist wieder da, durch nichts zerstört.

Wir bleiben ein paar Tage in Frankfurt und fahren dann gemeinsam nach München, wo Walter in der Oper zu tun hat. Wohnen in Pasing bei einer Kollegin von ihm, der Bühnenbildnerin Leni Bauer. Die Stadt ist zerstört, doch bei weitem nicht so stark wie Frankfurt. In einer Konditorei gegenüber dem Nationaltheater esse ich ein Eis, das nach essigsaurer Tonerde schmeckt. So wird lange Zeit das meiste schmecken. Ich nehme es auf mich. Auch den penetranten Geruch nach Staub, Verwesung, den Leichengeruch der Städte. Wir gehen in ein Kabarett, was ich sehr aufregend finde. Ich befinde mich in einem Glücksrausch, weil alle Menschen Deutsch sprechen.

Alle, die ich aufsuche, freuen sich wirklich und bewirten mich großzügig, obwohl sie doch selbst nichts zu essen haben. Ob sie wissen, was geschehen ist, erfahre ich nicht, habe aber das ungute Gefühl, dass für die meisten ein lebender Jude sechs Millionen toter Juden aufwiegt.

Wir fahren nach Egern. Ich schluchze kurz auf, als ich vor dem Gartentor stehe. Das Haus, in dem ein Kinderheim der NS-Frauenschaft war, ist verwahrlost, aber unverändert. Einige Schwestern betreiben das Kinderheim weiter auf eigene Faust und sind sehr erleichtert, als ich ihnen sage, dass sie vorerst, wirklich nur vorerst, bleiben können. Unser Hausmeister ist gestorben, seine Frau ist noch da. Es ist Heimat wie eh und je. Jetzt gehe ich noch fort, doch ich werde zurückkommen.

Von München aus fahre ich nach Kochel, um die Familie von Fritzens Frau, dem Springerl, zu besuchen. Als mein Zug einfährt, sehe ich das weit ausladende Bauernhaus, und aus jedem Fenster schauen drei oder vier schwarze Amerikaner heraus. Ein Bild wie aus einem Musical. Es gibt zu essen, auch hier freuen sich die Menschen über meinen Besuch. Besonders Springerls Nichte Ruth, eine hübsche, sehr intelligente junge Frau mit einer kleinen Tochter. Ruth schaut mich mit großen, sehnsüchtigen Augen an. Sehnsucht nach einer friedlichen, dem Geistigen gehörenden Welt. Sie hat schon vor dem Krieg ein bisschen für mich geschwärmt, ist auch heute eine meiner nächsten Freundinnen.

Dann nach Frankfurt zurück, das so zerstört wirkt, weil der Stadt das Herzstück, die völlig abgebrannte Altstadt, fehlt. Erna ist schon nicht mehr da. Es war ausgemacht, dass sie nur kurz bleiben würde. Ich muss allein weiter nach Düsseldorf und zu dem Bauern, bei dem ich meine Grenzführer wiederzutreffen hoffe. Von Neuß aus geht kein Zug mehr, weil Sonntag ist. Ein Stück weit nimmt mich ein Mann auf seinem Fahrrad mit. Den Rest des langen Weges gehe ich zu Fuß. Ich habe Zahnschmerzen und nehme immer wieder schmerzstillende Mittel. Schließlich treffe ich die beiden Holländer, die diesmal eine sehr nette

Amsterdamerin bei sich haben. Ich bewältige den weiten Fußmarsch gut, doch im Zug nach Amsterdam schlafe ich wegen der vielen Schmerzmittel immer wieder ein, falle von der Bank auf den dreckigen Boden, von dem mich die nette Holländerin mit großer Geduld wieder hochzieht. Endlich bin ich zurück, müde, abgekämpft, zufrieden. Nicht heute, nicht morgen, irgendwann werde ich wieder nach Deutschland gehen und dann vielleicht dort bleiben?

SELBSTHILFE

Im Frühjahr 1947 ist meine Geduld zu Ende. Ich will nach Deutschland. Walter schickt zwei Briefe: einen Brief des Darmstädter Oberbürgermeisters, der besagt, dass er nichts gegen mein Kommen einzuwenden habe, einen zweiten Brief vom amerikanischen Theateroffizier in Wiesbaden, darin wird mein Kommen sogar befürwortet.

Mit diesen beiden Briefen fahre ich zur amerikanischen Dienststelle in Den Haag und bekomme von der holländischen Angestellten ein glattes Nein zu hören. Ich schimpfe, doch es ist nichts zu machen.

So muss ich mir eben selbst helfen. Das habe ich in der Illegalität zur Genüge gelernt. Alles ist erlaubt, solange es keinen anderen Menschen verletzt. Ich lasse mir in Amsterdam einen Briefbogen drucken, auf dem steht: Dr. A. Müller, Odenwaldstraße 15, Darmstadt. Auf diesem Bogen stellt mir ein Arztfreund – Müller heißt auch er – ein Attest aus, dass meine Schwester in Darmstadt lebensgefährlich erkrankt und mein Kommen dringend erwünscht sei. Zur amerikanischen Dienststelle in Den Haag kann ich mit diesem Brief nicht noch einmal fahren, doch lasse ich mir von dort ein Durchreisevisum durch Deutschland nach der Schweiz geben, das leicht zu bekommen ist.

Ich habe keine Schwester in Darmstadt – habe überhaupt keine Schwester – und ich weiß nicht, ob es in Darmstadt eine Odenwaldstraße gibt. Nun, es ist anzunehmen. Ein bisschen Frechheit gehört dazu.

Mit meinem Attest fahre ich von Kilchberg aus, wo ich wieder bei meinem Vetter Hans wohne, zur amerikanischen Botschaft nach Bern und treffe dort auf einen sehr kooperativen Offizier. «Sie bekommen das Visum bestimmt», sagt er. «Wie lange kann es dauern?» – «Acht oder zehn Tage.» Ich erschrecke, genug Zeit, um Nachforschungen anzustellen. «Geht es nicht schneller?» – «Wenn Sie achtzig Rappen für die Post bezahlen, schicken wir den Pass per Eilboten.» Ich bezahle und habe am nächsten Morgen den visierten Pass in Kilchberg. Das Fatale ist: Das Visum gilt ab sofort, und ich will ja noch etwas in der Schweiz bleiben. Also nochmals nach Bern, wo ich mich bedanke und sage, ich hätte noch geschäftlich in der Schweiz zu tun, ob sie das Visum nicht verlängern könnten. «Sie können nur ein neues Visum beantragen, das müssen Sie noch einmal bezahlen.» – «Das ist okay.» Jetzt habe ich ein Visum vom 1. bis zum 10. Juli. Am 18. Juli ist mein Geburtstag, diesen Tag möchte ich mit Walter verbringen. Also mache ich vorsichtig aus der Null der Zehn eine Acht. Auch dies geht gut.

Es ist Mitte Juni, und in diesen zwei Wochen will ich in der Schweiz manches erledigen. Es sind vor allem zwei Begegnungen, die mir viel bedeuten.

Die erste ist die Begegnung mit meinem alten Freund

Robert, dem Rabbiner. Durch gemeinsame Bekannte habe ich zufällig erfahren, dass er gerade in Zürich ist. Wir treffen uns im Café Sprüngli an der Bahnhofstraße. Im Gegensatz zu fast allen Emigranten (mit Ausnahme von Fritz) ist er nicht entsetzt, als ich ihm erzähle, dass ich nach Deutschland zurück möchte, ja mehr noch, er denkt selbst daran, dort hinzugehen.

Die zweite und mir besonders wichtige Begegnung ist mit der jüdischen Schriftstellerin Margarete Susman, die im Schweizer Exil überlebt hat. Meine Amsterdamer Freundin Elisabeth kannte sie aus Frankfurt und hat mich in Zürich zu ihr geschickt. Ich bleibe eine Stunde in ihrem schönen Garten am Zürichberg, und sie hat zumindest Verständnis für meinen Wunsch, nach Deutschland zurückzugehen. Sie schenkt mir ihr Buch *Hiob und das Schicksal des jüdischen Volkes*, das 1946 erschienen ist.

Als ich aus Deutschland und dem Besuch bei Walter in Amsterdam zurück bin, schreibe ich Margarete Susman am 1. August 1947 einen Brief, den mir ein guter Zufall und die Aufmerksamkeit der Literaturwissenschaftlerin Dr. Hiltrud Häntzschel aus dem Susman'schen Nachlass in Marbach erst vor kurzer Zeit in die Hände kommen ließ. Er beantwortet authentisch die immer wieder an mich gestellte Frage, warum ich überhaupt und vor allem so bald nach Deutschland zurückgegangen bin, genauer jedenfalls als ich es heute aus dem Abstand von fast fünfzig Jahren tun könnte.

Einen Auszug aus diesem Brief drucke ich hier wörtlich ab, obwohl er im etwas übertriebenen 19. Jahrhundert-Stil der Frau Susman von mir geschrieben wurde (zu meinem eigenen Stil fand ich erst – schreibend – einige Zeit später, ich hatte ihn nicht gesucht, er war einfach da, ein Stück von mir).

Ich schreibe Margarete Susman, ich hätte noch einmal in ihrem Buch gelesen. Dabei hätte ich so viel und intensiv an sie gedacht, dass ich es jetzt wagte, in die Einsamkeit ihres schönen Gartens einzubrechen und Gedanken auszusprechen, die mich nach der Lektüre bewegten:

250

«… Lassen Sie mich Ihnen sagen», schreibe ich, «warum ich mich trotzdem entschlossen habe, wieder unter diesem Volk zu leben. Vollkommen ohne jüdische Bindungen und Tradition aufgewachsen – und das heißt natürlich auch, ohne das Wissen um den Bund mit Gott –, hat das jüdische Schicksal mich mit seiner ganzen Wucht getroffen und mich so zerbrochen, dass ich lange Zeit die Kraft zum Leben fand aus nichts anderem heraus als aus meiner Sehnsucht nach dem Tode. Ich bin durch die tiefste Hölle des Zweifelns am Sinn, des Verzweifelns gegangen. In sechs furchtbar schweren Jahren (sie waren es auch von außen her: zuerst die Deportationen der Hunderttausend aus Holland, dann das eigene Untertauchen und zuletzt das Allerschwerste vielleicht: das Ende des Krieges und die Wiederaufnahme der Beziehungen zu den Menschen, die nicht in den dämonischen Kreis des Bösen miteinbezogen waren und deren Norm nicht der Tod ist), in diesen langen Jahren habe ich versucht zu lernen, Ja zum Leben zu sagen. Wenn ich es jetzt kann (trotz vieler Stunden der Anfechtung), so ist es wohl nur aus meinem Jüdischsein heraus erklärbar, und ich nehme es dankbar hin als Wunder, das unser stets auf das Äußerste gerichtete und der Vernichtung preisgegebene Leben bewahrt und trägt. Trotz dieser Erkenntnis ist es mir versagt geblieben, das Volkshafte des Judentums für mich zu akzeptieren. Ich sehe, dass es besteht, ich sehe es mit Bewunderung und zuweilen auch mit Neid, aber mein Wer-

251

den hat sich so weitab von jenen Quellen vollzogen, dass ich den Weg zu ihnen nicht mehr finden kann. Ich habe die Heimat Deutschland verloren und keine andere dafür gefunden. Ich fühle mich als Weltbürger, meine Gesinnung ist international. Damit trifft für mich die Gegebenheit zu, die Sie selbst als Basis für die Möglichkeit zur Rückkehr zeichnen. Aber ich glaube nicht, dass wir das Recht oder auch nur die Möglichkeit haben, zu richten und zu vergeben. Ich glaube, dass ich (und nun muss ich noch einmal um Verzeihung bitten, dass ich von mir schreibe, doch es geht hier um Entscheidungen, bei denen es kein «wir» gibt, die jeder für sich allein treffen muss und die ich zu Ihnen, der fast Fremden, trage, als spräche ich zu mir selbst, weil durch Ihr Buch so viele heftige Gedanken in mir aufgerufen sind), die Verpflichtung habe, im kleinsten Kreis zu wirken und durch das Dasein (als Mensch und als Jude da sein) das Meine zu tun und zu versöhnen. Ich meine natürlich, dass durch die durchaus berechtigte, aber oft ungeschickte und immer zu direkte Forderung der Welt nach einem Schuldbekenntnis der Deutschen nichts anderes als eine neue Verhärtung ihrer Herzen erreicht werden kann. Sicherlich muss «die deutsche Erde sich selbst reinigen», aber wie der ausgetrocknete Boden des guten Regens bedarf, um wieder tragfähig zu werden, so warten die deutschen Menschen – nicht die Nazis, aber die unzähligen, aus Trägheit des Herzens Schuldiggewordenen – auf den Bruder von draußen. Solange im Kern von Europa eine verdorrte Wüste ist, wird kein Leben in Frieden möglich sein. Vielleicht ist das Schlimme zu sehr schon angewachsen, wahrscheinlich ist es so, vielleicht ist es Wahnsinn, sich in den reißenden Strom zu werfen, der unseren armen Erdteil der endgültigen Vernichtung zutreibt, anstatt zu versuchen, so schnell wie möglich das andere, rettende Ufer zu gewinnen, aber ist es nicht so, dass wir, die Überlebenden, schon zu oft die Schuld auf uns geladen haben, zu meinen, es käme gerade auf uns nicht an?

Doch das alles ist noch nicht Rechtfertigung genug, sondern stammt vielleicht nur aus der sehr vielen Juden und auch mir zugehörenden Neigung, das Recht zu Gunsten des Armen zu beugen. Ich werde für das, was das Ausschlaggebende ist, nie mehr nach einer anderen Formulierung suchen, als nach der, die mir in Ihren schönen erhellenden Worten gegeben ist: «Jede wahrhaftige Verbindung zwischen einem Juden und einem Menschen eines anderen Volkes ist nach dem gewaltsamen Abbrechen des gemeinsamen Grundes, den die Welt mit ihren stärksten Kräften weiter abzubrechen bemüht ist, ein Stückchen dem Chaos abgerungene Schöpfung, ein leises Aufdämmern des messianischen Reiches selbst.»

Wie viel stärker wird diese Wahrheit deutlich, wenn es die wahrhaftige Verbindung eines Juden und eines deutschen Menschen, eines Menschen aus dem Land der Feinde aller Feinde betrifft. Es ist die einzig reale

Überwindung des Satanischen, nach den Jahren des Unausdenkbaren inmitten des Chaos Freunde zurückzufinden und auch neuen Menschen zu begegnen, die, ohne Schaden an ihrer Seele zu nehmen, durch das Grauen hindurchgegangen sind. Ihre Zahl ist nicht klein, man muss nur den richtigen Ton anschlagen (und der richtige ist der selbstverständliche, der nicht richtende und nicht mitleidige), um wieder gemeinsamen Grund, den Grund des Nur-Menschlichen unter den Füßen zu haben.

Es ist vor allem die Gemeinschaft mit einem Menschen, die mich zurückführt, und es ist wie ein ewiges Strömen des Lebens selbst, dass es gerade ein Deutscher ist, der mir heute am nächsten steht. Kann es noch ein stärkeres Ad-absurdum-Führen des Teuflischen geben? Doch es ist nicht nur dieser eine allein, in aller Wirrnis, allem Schrecken, aller Bösartigkeit habe ich eine ganze Anzahl von Menschen gefunden, die das Ungeheuerliche nicht zerbrochen hat. Die verstehen (sobald man nur durch die Kruste gekommen ist, die wie ein Klumpen aus Erde um ihre Herzen liegt) und, verstehend, hören können. Es ist für einen Schweizer, es ist selbst für einen Holländer, der mehr gelitten hat, nicht schwer, menschlich zu sein, es ist unendlich schwer für die Deutschen, die Gezeichnete sind und Ausgestoßene, Geschlagene und fast Vernichtete. Aber wo aus dem Chaos und dem Hässlichen – vereinzelt zwar und unter gewaltigen Mühen – eine neue Gestalt sich formt, da zu sein, um vielleicht

Verschüttetes auszugraben, ist kein Verrat an den Toten, sondern der tastende Versuch, ihr geliebtes und
geheiligtes Leben nicht ganz verwehen zu lassen, solange man selbst dauert. ...»

Dieser Mensch, von dem ich in meinem Brief an
Margarete Susman schreibe, der Freund, der mir nach
dem Krieg am nächsten steht, ist Walter. Es ist ein
Glück, dass ich ihm, der, ein leidenschaftlicher Geg-
ner des Regimes, fast die ganzen Jahre in Deutschland
gelebt hat, wiederbegegne. Er ist der wirkliche Grund,
warum ich so bald zurückgekommen bin.
Ich habe es nicht bereut. Trotzdem frage ich mich,
glaubte ich 1947 wirklich an die Bewältigung dessen,
was nie und nimmer zu bewältigen ist?
Es war ein Hoffnungsschimmer, der durch mein Wissen, wie oft und wie stark ich ebenso wie der Dichter
Heinrich Heine unter meinem Jüdisch- und meinem
Deutschsein leiden würde, nicht wieder ausgelöscht
werden konnte.

BILDLEGENDE